JN088921

関東大震災百年——

文豪たちの「九月一日」

『関東震災全地域鳥瞰《ちょうかん》図絵』26×108 cm　吉田初三郎・作　1924（大正13）年9月15日　大阪朝日新聞社

関東大震災1周年の新聞の付録として作成。吉田初三郎（1884-1955）は鉄道会社や自治体の依頼で旅行案内図などを描いて活躍した鳥瞰図画家で、その種類は2000にものぼるといわれる。〈個人蔵〉

った様子が激しいタッチで表現されている。東京の3分の2が火災に遭ったことがわか

鳥瞰図　神奈川・東京・千葉の部分　震源地は相模湾だったが、関東各地で火災が起こる。とくに横浜は崩落が東京よりひどく、本当に横浜が全滅したかに見える。〈個人蔵〉

〈全図〉

〈右側〉

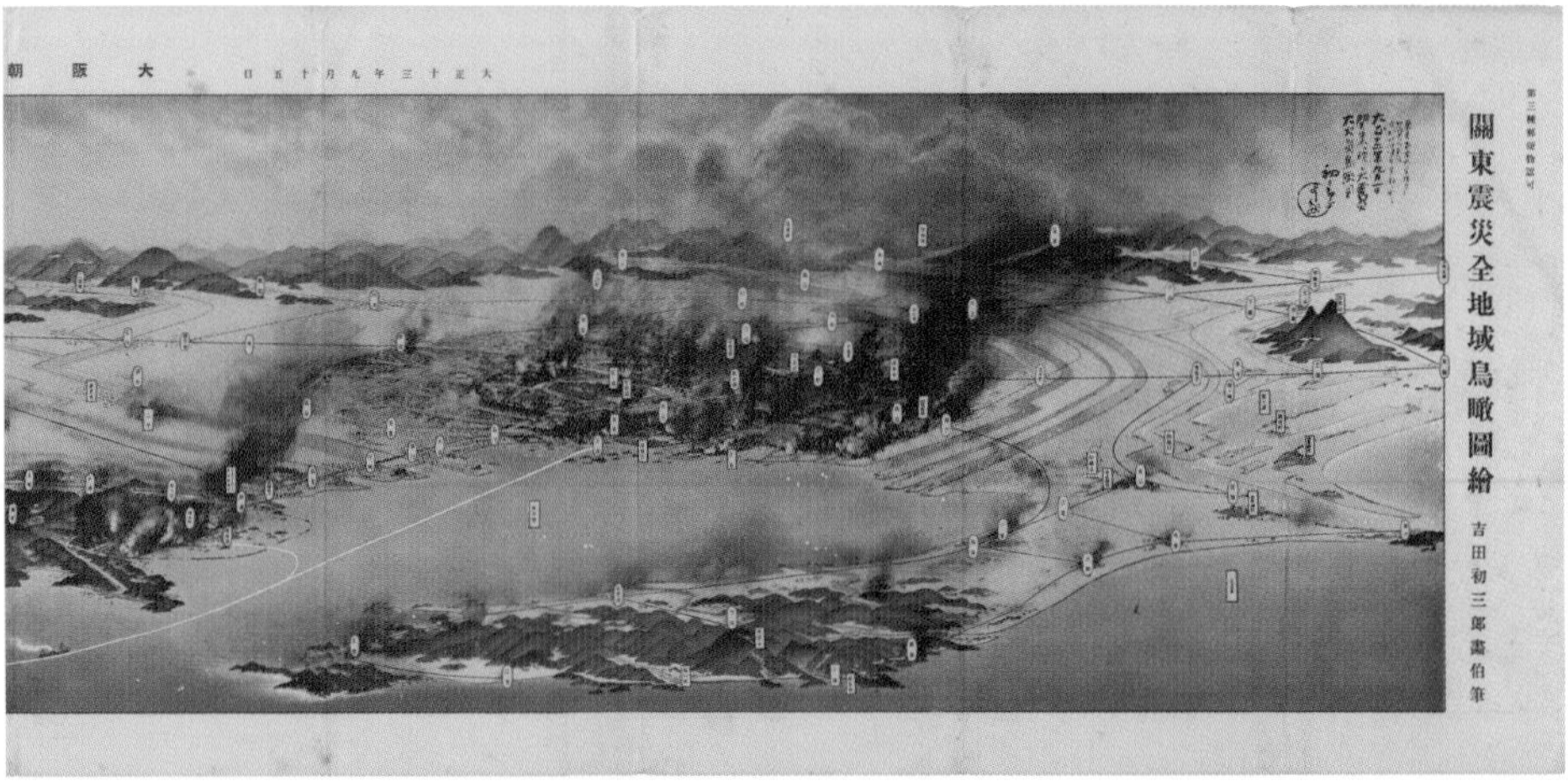

〈左側〉

鳥瞰図の全体を見る（上から全図・右側・左側） 東（右）は外房から宇都宮まで、筑波山が見え、西（左）は富士山の先、身延（山梨県）まで描かれる。東海道線が不通だったので、神奈川県の横浜および東京の芝浦と静岡県の清水が船の航路で結ばれていることがわかる。〈個人蔵〉

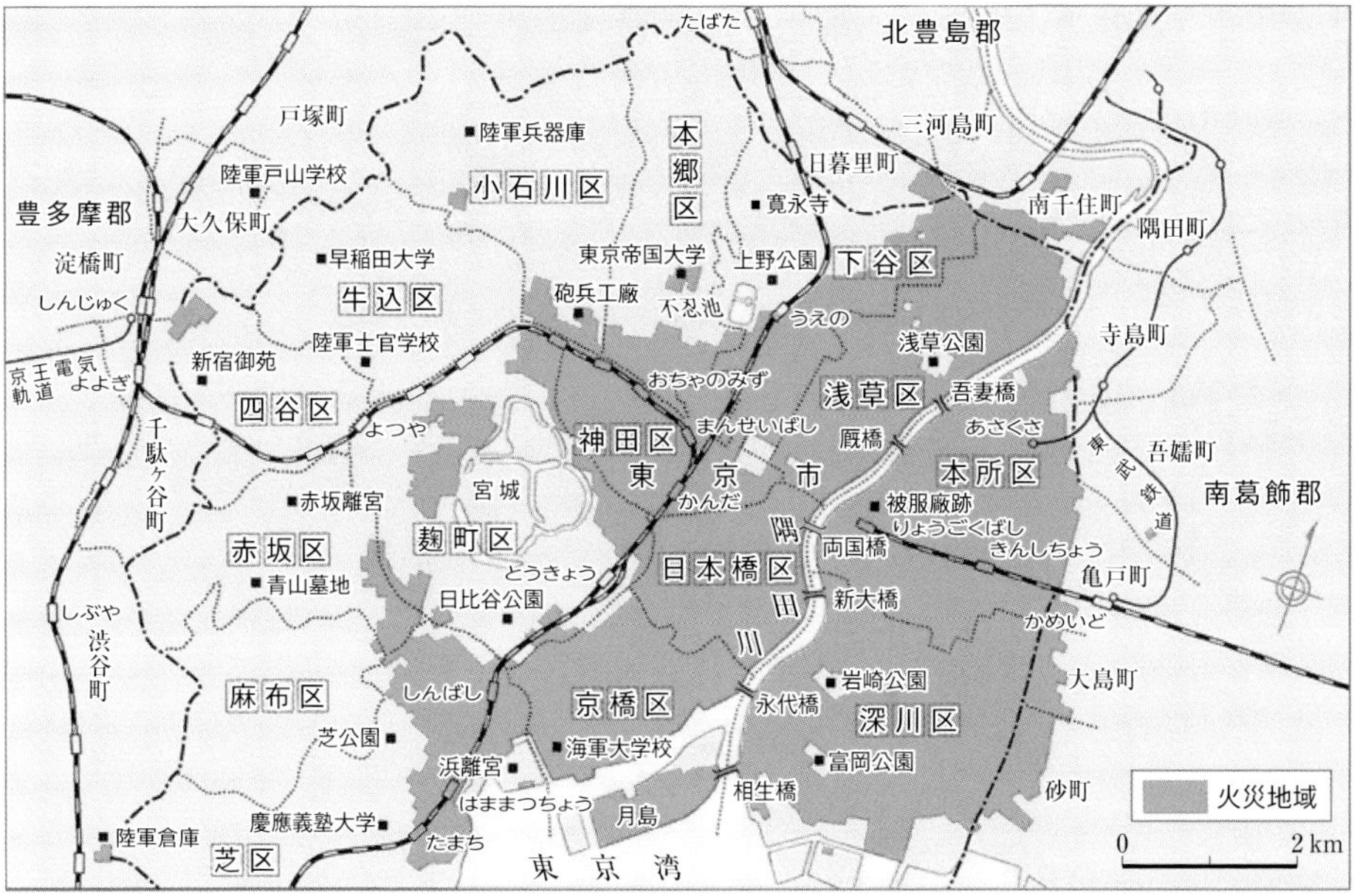

当時の東京市地図と火災状況　東京市は東京府の東部15区からなり、豊多摩郡、南葛飾郡など5郡が隣接する。地震が起こったのが昼食時間帯であり、火災は地震直後から多発的に発生、3日間、46時間にわたって延焼し、市域の43.6%が焼失した。〈小学館『日本大百科全書（ニッポニカ）』「関東大震災」をもとに作成〉

凌雲閣（浅草十二階） 東京・浅草公園に建てられた展望塔。建物の8階部分から上部が折れる形で倒壊した。9月23日には陸軍工兵隊によって爆破解体され、再建されなかった。〈(公社) 全国市有物件災害共済会防災専門図書館所蔵〉

宮城《きゅうじょう》（現・皇居）二重橋 宮城二重橋前の広場（現・千代田区外苑）は避難する人々の持ち込んだ家財道具であふれた。〈(公社) 全国市有物件災害共済会防災専門図書館所蔵〉

万世橋駅　神田駅とお茶の水駅の間にあった駅。煉瓦の壁は残るも、屋根は焼け落ち鉄骨が剝き出しになっている。駅前広場には日露戦争で戦死した広瀬武夫中佐と杉野孫七兵曹長の像が見える。〈東京都復興記念館所蔵〉

大蔵省　大手町の官公庁の建築は、他に文部省・内務省・外務省・警視庁なども壊滅。明治期の煉瓦造りは一部をのぞき地震には弱かった。〈(公社) 全国市有物件災害共済会防災専門図書館所蔵〉

神田橋　神田区（現・千代田区）にあった橋。地震により崩落し、仮設の橋を人々が列をなして渡っていくのが見える。〈東京都復興記念館所蔵〉

日比谷交差点　麴町区（現・千代田区有楽町）の日比谷公園前の交差点の様子で、付近の建物は崩壊、黒煙に包まれている。〈(公社）全国市有物件災害共済会防災専門図書館所蔵〉

日本橋丸善書店　日本橋区（現・中央区日本橋）にあった書店。鉄骨造の建物で地震による被害は少なかったが、その後の火災によって鉄骨が大きく変形し、壁の一部を除き倒壊。作家・佐多稲子が勤務していたが、難を逃れている。〈(公社）全国市有物件災害共済会防災専門図書館所蔵〉

ニコライ堂　ロシア正教会の日本における総本山で、神田区（現・千代田区神田駿河台）にあった。トレードマークのドームが崩壊した。〈東京都復興記念館所蔵〉

被服廠跡《ひふくしょう》　本所区横網町（現・墨田区横網）の陸軍被服廠跡地に公園を造成する予定で空き地状態だったため、布団や家財道具を持ち込んで避難。火災旋風による火の粉が家財道具などに燃え移った。死者はここだけで３万８千人となる。〈東京都復興記念館所蔵〉

被服廠跡の遺骨　遺骸は現場で火葬され、遺骨の山は３メートルの高さになったという。現在、同地に東京都慰霊堂がある。〈(公社) 全国市有物件災害共済会防災専門図書館所蔵〉

商業会議所　尋ね人の貼り紙がびっしりと重なるように貼られている。〈東京都復興記念館所蔵〉

在郷軍人　余震の恐怖に人々がおびえる中、朝鮮人が暴動を起こすという流言飛語が広がり、青年団や在郷軍人会などが警備に乗り出すようになった。〈(公社) 全国市有物件災害共済会防災専門図書館所蔵〉

貯金非常払いに列を作る人々　着の身着のままで避難した人がほとんどだったので、確認作業に手間がかかった。〈(公社) 全国市有物件災害共済会防災専門図書館所蔵〉

野外小学校　東京市では約６割の小学校が焼失した。10月には、天幕、露天、公園などで授業が再開されている。〈(公社) 全国市有物件災害共済会防災専門図書館所蔵〉

汽車にしがみつく人々　９月３日以降、公式に無賃乗車が許可される。震災後、大阪や名古屋に移住する者が増えた。客を満載したため列車が転覆する事故もあった。〈(公社) 全国市有物件災害共済会防災専門図書館所蔵〉

品川付近のバラック　荏原郡の一部（現・大井町周辺）では火災を免れた場所に続々とバラックが建てられた。東京、横浜からの被災者が数多く流入し、その後の人口増加に繋がった。〈東京都復興記念館所蔵〉

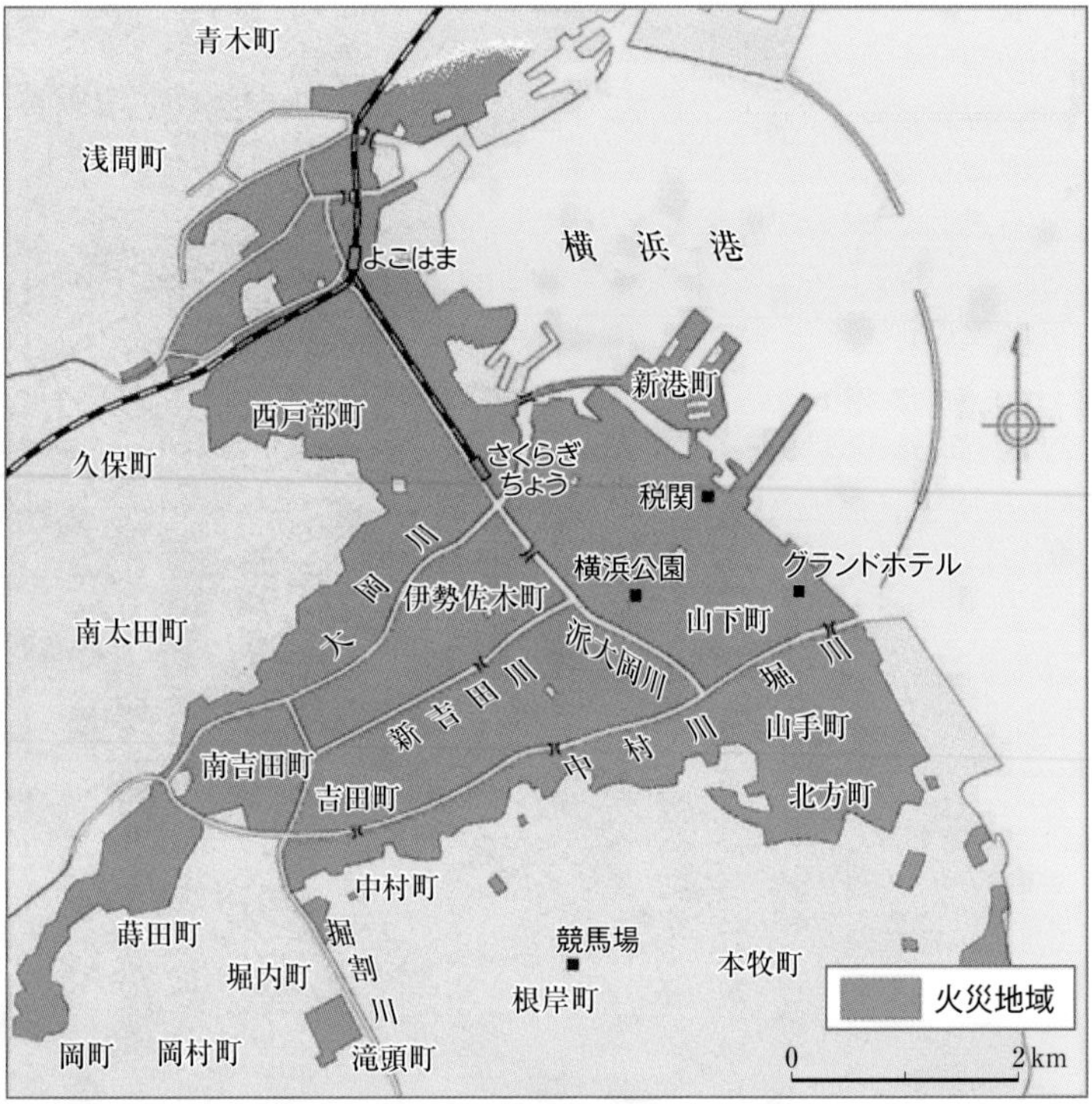

当時の横浜市地図と火災状況　震源地が相模湾北西部だったので、横浜市は東京より震源に近く、中心部の多くが埋立地であるため倒壊家屋も多く、被災の割合は東京よりも高い。〈小学館『日本大百科全書（ニッポニカ）』「関東大震災」をもとに作成〉

崩れる桟橋　横浜市内は運河や橋が多く、それらの崩落や焼失で逃げ道を失ったことが被害を大きくした。〈横浜市中央図書館所蔵〉

グランドホテル　山下町谷戸橋際の居留地20番（現在の「横浜人形の家」付近）にあった有名な西洋ホテル。〈横浜市中央図書館所蔵〉

伊勢佐木町付近　横浜市の死者は加賀町と伊勢佐木町に集中し、総数の8割を超える。ここは埋立地で、商業地、娯楽街として発達していた。〈横浜市中央図書館所蔵〉

建長寺崩壊　鎌倉は南が海で、三方を山に囲まれるため、海岸部で津波、内陸部で地滑りなどの二次的な災害が甚大であった。市内の歴史文化遺産のほとんどが倒壊などなんらかの被害を受けている。〈気象庁 HP「関東大震災の記録」より〉

箱根・塔之沢玉の緒橋付近　箱根と丹沢を中心に多くの土砂災害が発生した。箱根の大洞山が崩れたほか、根府川集落が山津波に襲われて多くの死者を出している。〈神奈川県立歴史博物館所蔵〉

関東大震災百年──

文豪たちの「九月一日」

編著
国文学者・民俗学者
石井正己

清水書院

まえがき

日本は世界有数の災害大国であり、特に懸念されるのが、地震とそれに伴う津波や火災である。近いところでも、一九九五（平成七）年の阪神・淡路大震災、二〇一一（平成二三）年の東日本大震災、二〇一六（平成二八）年の熊本地震は、多くの人の記憶に深く刻まれている。しかし、それ以降に生まれた人も多くなっていて、「忘れる」だけでなく、「知らない」ということが始まっている。やがて歳月が経てば、こうした大震災も歴史の一齣になってゆくにちがいない。

そうした意味でも、今、思い起こしておきたいのは、一九二三（大正一二）年九月一日に起こった関東大震災であろう。これは相模湾北西部を震源地とするマグニチュード7・9の巨大地震で、相模湾沿岸では震度7に達した。死者・行方不明者は一〇万五千人、全壊・焼失家屋は五七万戸、被災者総数は三四〇万人になったとされる。この国で起こった最大の被害を残した災害だったことになる。

そのときから数えて、今年はちょうど百年になる。今は「人生百年」という高齢化時代を迎えているが、それでも体験者はわずかになり、その体験を語り聞くことは難しくなっている。そうした状況を考えるならば、私たちが記憶を作るためには、残された記録によって何が起こったのかを具体的に知るしか方法がない。

思えば、百年前の日本は近代化も進み、メディアも発達していた。まだラジオやテレビはなかったが、雑誌や新聞が生活の隅々に行き渡っていた。しかし、東京にあった印刷所はことごとく被災し、発行が困難になった。それでも新聞はさまざまな工夫をして号外を発行し、雑誌は翌月に特集号を出している。また、写真が普及して被災状況を写したが、絵葉書も数多く作られて出回った。しかし、大災害であることをセンセーショナルに伝えようとして、改竄《かいざん》や捏造《ねつぞう》が行われたことが指摘されている。一方、すでに動画も残されていて、それらによって写真ではわかりにくかった動きがとらえられるようになった。その一つに、この日は風が強く、そのために火災が広がって消火できなくなったことがわかる。

政治は混乱していたが、後藤新平が都市計画をもとにした復興案を出した。しかし、予算が巨額であるだけでなく、利害関係もあって、十分な実現ができなかった。それでも、七年後の一九三〇（昭和五）年に復興を宣言している。それに伴って、震災からの復興までの経過を記録した刊行物もさまざまに発行された。

しかし、そうした刊行物は公的な立場で作成されているものが多いので、事実の事務的な記録としては役に立っても、震災を体験した人々の状況や心情を具体的に伝えるものにはなっていない。写真は被災状況をリアルに残していて貴重だが、そこにいる人々の声までは聞こえてこない。

そこで、本書は文豪たちが書いた体験記を編集することにした。夏目漱石と森鷗外はすでに亡くなっていたが、芥川龍之介や室生《むろう》犀星《さいせい》をはじめとする文豪たちがおびただしい文章を雑誌に発表している。本書は、それらの中から重要な価値を持つと考えられる文章三二編を厳選して収録した。

今日ならばSNSで誰もが社会に向けて発信することができるが、文豪たちは文章を書く場所を与えられた特別な存在と言えるかもしれない。だが、彼らの文章は個性的であるばかりでなく、そこからは人々の声が聞こえてくる。文章には署名があり、責任の所在もはっきりしている。しかも、明晰な文章によって、被災の状況とともに、それを受け止めた考え方を知ることもできる。そうした点からすれば、これらは「第一級の歴史資料」とみることもでき、それぞれから震災を学ぶことができる価値も少なくない。

それでも、発生から百年が経つと、文章の中には難しい表現が見られ、今日ではなくなってしまった事物も多い。そこで、本書では、それぞれの文章を書いた文豪はどのような人であり、使われた言葉がどのような意味や背景を持つのかがわかるように、丁寧な注記を付けることにした。

こうした配慮によって、中学生や高校生・大学生はもとより、広い年代の方々がこれらの文章を身近に読むことのできる環境が整ったのではないかと思われる。耳に残る教訓で防災を語ることも意義はあるが、こうした文豪たちの文章を読むと、心に染み入るようにして、震災を生き抜いた人々の知恵を知ることができるはずである。

よく、「文学は世の中の役に立たない」と言われるが、本書を読んでくだされば、「文学は次の時代を生きるための知恵の源泉である」と気づかれるにちがいない。現代は移動の激しい社会であり、いつ、どこで被災するかは予断ができない。それだけでなく、ひとたび首都直下型地震や南海トラフ地震のような大災害が起これば、その影響は計り知れず、被災地だけの問題で済まないことは明白である。地域を首都圏に限定せず、本書を広く読んでいただきたいと思う所以である。

二〇二三年六月

石井正己

関東大震災百年——文豪たちの「九月一日」◉目次

第二章　津波と山崩れにあった美景の地

第三章　流言・飛語・警鐘

第四章　取材するジャーナリスト

第五章　絶望から復興への歩み

凡　例

一、本書では、関東大震災当初の感懐を尊重するために、後に単行本に収録された場合があっても、初出の雑誌や新聞を底本とした。ただし、「最後の大杉」「関東大震災直後」「震災画報」「断腸亭日乗」の場合はその限りでない。
一、「最後の大杉」には「追記」があるが、省略した。
一、「砂けぶり」に収録した二編には、それぞれ「一」「二」を添えた。
一、「東京災難画信」の「浅草観音堂のおみくじ場」の見出しは新たに付けた。
一、表記は新漢字、現代仮名遣いに改めた。漢字は常用漢字をはじめとする通行の字体に統一した。ただし、詩歌や引用された古典は歴史的仮名遣いを残した。
一、誤字、脱字に関しては、全集・文庫収録の校訂を参考に編集部で適宜修正した。
一、ルビは若い読者を考慮し、編集部で適宜付した。
一、文中に「〇〇〇」「×××」「、、、」のような伏せ字がある場合があるが、それらは当時の検閲に拠るもので、本書で施したものではない。多くは朝鮮人や社会主義者に関わる記述である。
一、現在では差別的と考えられる表現が含まれるが、歴史的な意味を配慮して、改めることはせず、そのまま残した。

第一章

炎に包まれる大都市・東京

三百年の夢

「新潮」第三九巻第四号、大正一二年一〇月（新潮社）

宇野浩二

　今度の大災後に発行された何かの新聞の記事の見出しに、「三百年の文化の夢一朝《いっちょう》にして烟《けむり》と化す」と書いてあるのを読んだ。三百年は少し大袈裟《おおげさ》かも知れないが、明治大正五十余年――実際その間の文化の進化の著しさは、他所《よそ》の国や或いは他の世紀やの三百年に匹敵され得《う》るかも知れない、――の年月が建設したこの大都会が、その通り、あの九月一日のたった一《ひと》つ時《とき》の大地震を境にして、全く煙の如《ごと》く消えてしまったとは！

　私は幸いに自分の住んでいた土地の地盤や位置が好都合だった為か、この大地震からも大火災からも比較的気楽に免れることが出来たので、その後私の家から五町と隔っていない上野公園（＊1）の高台の一部に屢々《しばしば》出かけて行って、そこから見渡す限りの東京が悉《ことごと》く灰になっている姿を眺めたが、唯々呆《ただただあき》れる外はなかった。何故《なぜ》と言って、私の比較的楽に免れたあの地震の経験の記憶からして、あれがこれだけの惨禍を持って来たとは殆《ほとん》ど

宇野浩二（一八九一明治二四―一九六一昭和三六）
小説家。福岡市生まれ。本名格次郎。三歳で父を亡くして各地を転々とした後、八歳から青年時代を大阪で過ごし、早稲田大学英文科に進学し中退。一九一九（大正八）年に「蔵の中」「苦の世界」で作家としてデビューし、一風変わった私小説作家として評価され、葛西善蔵や芥川龍之介、佐藤春夫などとの交流を持つ。二〇年に親交の深かった作家・江口渙《かん》の勧めにより、江口の借家近くの上野桜木町の借家に転居。関東大震災をこの家で被災する。二七（昭和二）年ごろから神経衰弱に陥り、創作活動を一時中断するも、「枯木のある風景」で作家活動を再開。晩年まで創作活動や文芸評論に励み、「文学の鬼」と評された。

信じられない気がしたからである。それと共に、誰《たれ》も考えることであろうが、唯あれだけの震動の為に、僅か二三十時間の間(＊2)に、こんな跡かたもない姿に変ってしまうところの、我々の営みの果敢《はか》なさを感じない訳に行かなかった。

目の下の上野停車場(＊3)も殆ど存在していなかった。赤茶けた線路の彼方此方《あちらこちら》に、逃げ損《そこ》なって死んだ人たちと同じような恰好《かっこう》で、貨車や客車が焼け焦げて散乱していた。その他見渡す限りの荒れ果てた焼灰原の中に、まだ火事の余炎が彼方此方に残っていて、その煙や砂ほこりなどが舞い上っている為だろうか、一機に灰色に濁った空気の中に、半分折れた浅草の十二階の塔(＊4)と、観音堂(＊5)と、その他二三の焼け残りの建物がぼんやり建っているだけだった。

私が初めて焼跡の原の一部分を歩いたのはあの日から一週間も経った後のことであった。もう彼方此方に大勢の人々が焼跡の整理にかかっているのが見られた。だから、陸上にはもう人間の死骸などは見られなかったが、うっかり小さな川に架《かか》っている橋の上を通りかかって、水の方をのぞいて見ると、彼方にも此方にもごみの間に混って、セルロイドの人形(＊6)のような色をした、そしてそれのように脹《ふく》れた手足を露出した人間の溺死《できし》体《たい》が、無雑作にぽかぽか浮いているのが目についた。私は余りそういう物を見ることの好奇心を持たない方なので、よくも目に止めないで目を反《そ》らしたが、考えて見ると、家の焼跡も、土蔵のくずれた恰好《かっこう》も、さては自動車や自転車が路傍で矢張り焼け焦げてペしゃんこになっている有様も、みんなそれ等の人間の死骸と同じ印象を与えた。

＊1　**上野公園**
徳川家の廟所・寛永寺の土地が一八七三（明治六）年に公園となった。その後動物園・国立博物館・美術学校・音楽学校・美術館など文化施設が集中し、芸術文化の中心的役割を担っていた。各所での火災から逃れるべく人々が避難に集い、その数は五〇万人にのぼった。

＊2　**僅か二三十時間の間**
強風の影響による深刻な火災被害は震災当日の夜にもたらされ、一晩のうちに五万人以上が焼死した。最終的に鎮火したのは、震災発生から四〇時間以上経過した九月三日の午前一〇時頃とみられている。

＊3　**上野停車場**
上野駅。震災当日、避難民による混雑を解消するために下谷上野警察署は王子や赤羽に人々を輸送しようとしたが失敗し、運転は中止となる。翌日の九月二日には火の手が及び、焼失。

夜になると一層その感じが深い。或晩、本郷(＊7)のお茶の水(＊8)の焼跡から万世橋(＊9)の方に向かって車で通ったことがあった。目の下の見渡す限りの焼跡は、ところどころ提灯《ちょうちん》の火が蛍のように撒《ま》き散らされてある外は真暗だ、それは田舎の野原などに見る暗さとは全然違ったもので、何とも言えぬ鬼気の漲《みなぎ》った光景だ、昔の詩人のような言葉で言えば、死滅した都の残骸とでも言うべきものだろう、遠くの、多分海に浮かんでいる軍艦からであろうか、一条のサーチライト(＊10)の青い線が真暗な空を遊泳しているのも、何とも言えぬ物凄《ものすご》さを添える、更に東の方の遠くに、多分本所深川(＊11)あたりであろう、二三ケ所に当って、真赤な、絵具のような色をした火の手が煙って見えた。「あの火は何だろう?」と車夫に聞くと、「あれは死骸を焼いているのです。」と車夫は無雑作に答えた。

「そう言うと、この辺だって変なにおいで堪らないね。」と私が言うと、

「これや、旦那、唯の焼跡のにおいですよ。」と車夫が答えた。

「が、違いないや、家の死体のにおいだからね。」

「如何《いか》にも、家の死骸のにおいに違いないね、」と私は言った。

「もっとも、この辺でも然《しか》し、旦那、」と車夫が言うには、「風の加減であの死骸のにおいがして来ることがありますよ。死骸のにおいは堪らんね、それに何しろ大勢だから。」

実際、斯《こ》ういう所を通って、そういう光景を見、そういうにおいを嗅《か》ぎながら、私の町（上野桜木町）の方に帰って来ると、そこはいつもの通り電灯もついて居り、水道の音もして居り、日が経つと共に商店も商売を開いて居り、唯いつもよりは何層倍かの往

＊4　**浅草の十二階の塔**
凌雲閣《りょううんかく》、通称浅草十二階。一八九〇(明治二三)年に建築された八角形のレンガ造りの建物で、東京のシンボル的存在であった。震災当日が土曜日ということもあり、周辺には一〇万あまりの人が集まっていた。地震の揺れによって八階部分のあたりから二つに折れ、展望台にいた人が墜死した。

＊5　**観音堂**
浅草寺、通称は浅草観音。浅草ではほぼ唯一、火災の被害に見舞われなかった場所で、一〇万人に及ぶ避難民の命を救った。

＊6　**セルロイドの人形**
「セルロイド」はプラスチックの一種。一九一六(大正五)年以降、下町の工業地域でセルロイド工場が隆興し、当時セルロイドの玩具が流通していた。人形は濃い肌色で着色されることが多く、熱したお湯につけて膨らませる技法があり、ここでは不気味に膨張する死体の喩えとして

来の人が多いというだけの違いで、人々が倒れない焼けない家に住んでいるのが、自分で自分の頰を撫でて見直したい程、不思議な気がするのだった。

町内の人々

この場合に贅沢《ぜいたく》なことを言うようだが、今、あの日から二週間も過ぎた日になって、私たちは友達と無事な顔を合わして見ると、落着いて仕事をする訳には行かず、と言って退屈は退屈であり「何処《どこ》かへ散歩に出たいな、」「久しぶりで明るい電気の下に坐《すわ》って飲みたいな、」「カフェー(*12)へ行きたいな、」などと言い合った。本当にそう思うのである。近頃、私は余りそんな風なところへ足を向けなかったが、今は銀座のあのカフェーも、このカフェーも、さては浅草のあの活動写真館(*13)もこの芝居小屋も悉《ことごと》くなくなったかと思うと、不断には思いも及ばなかった、そういうものに対する未練を覚える。そしてここから僅か五十里とか百里とか、或いは百五十里とか離れた静岡とか、名古屋とか大阪とかの区々では、九月一日までの私たちの町でのように、平生と少しも変らず活動写真館では楽隊が鳴っているだろう、盛り場には人々が笑いながら雑沓《ざっとう》しているだろうと思うと、真に翼があったら飛んで行きたいような気持になる。

だが、この災難は私に今まで覚えなかったいろいろの珍しい経験をさせてくれたことを、今斯うして幾分落着いて見ると、有難く回顧されるのである。大体私の住んでいる

用いられている。

＊7　本郷
旧本郷区。神田川北岸の台地上に位置する、現在の文京区の東半分の一帯。湯島・本郷・根津・駒込の四つの区域からなる。

＊8　お茶の水
神田川水域一体を占める地域の呼称。現在の千代田区・文京区。地名は湯島聖堂近くの名水に由来があるが、明治時代に鉄道（現在の中央線）が開通し、一八九一（明治二四）年には鉄橋・お茶の水橋が開通した。東京女子高等師範学校（現・お茶の水女子大学）は校舎が全焼した。

＊9　万世橋
須田町の中心に位置する、神田川に架かる橋。一八七三（明治六）年に架かった石橋で、日本橋から本郷へ抜けていく中山道と、神田から上野方面へ繋がる道とが交差する、交通の要所であった。

町は多分にお上品な、謂《い》わば独善的な傾向の人たちに占められているように見えた。現に、私自身人見知りする性分で、何もそんな風にしようと心がけている訳ではないが、近所の人たちと殆ど言葉を交したことがないばかりか、私は右隣の人の顔も左隣の人の顔も全然知らなかった。考えて見ると、私が今の家に越して来てから丸三年以上も経つのであるが、隣家の主人の顔どころか、細君の顔も、女中の顔も知らなかったことは、自分ながら嘘《うそ》のような気がする位である。知っていたのは、近所の、時々私の家に来てもらう床屋の若い衆と、車夫二三人と、向いの家の細君と、筋向うの汁粉屋の夫婦と、その他二三人と、そしてその外は全然知らずにいたのである。

ところが、あの大地震だ。最初の大揺れの時は大抵の家では逃げ出す暇がなかったらしかったが、続いて来た揺り返しが済むと共に、私が三年の間同じ町内に住みながら一度も顔を見たことのない、隣の人も、その隣の人も、或いは向いの人も、その又筋向いの人も、同じ時刻、同じ瞬間に、二間幅の道のまん中に飛び出した訳だった。そして、それ等の人々はもっと町幅の広い所をと目指して、大道の四つ角のところにごちゃごちゃにかたまった。「大変ですな、」「ひどいですね、」とそこで私たちは誰に言うともなくお互に言い合った。その間にも屢々《しばしば》襲ってくる第二第三の余震があると、「来たぞ、来たぞ！」と人々は叫び合って、各々《おのおの》の肩を摑《つか》まえたり、手を取り合ったりした。だがその時にも未《ま》だ誰が誰と物を言い合っているのか分らなかった。

が、やがて当分家の中に這入《はい》れないというので、私たちは思い思いに、茣蓙《ござ》や蒲団《ふとん》を

＊10　**サーチライト**
震災発生直後、東京の通信網はすべて途絶えてしまったが、海軍の船橋送信所は機能を維持していた。海軍全軍を挙げて東京に急行し、救援活動にあたった。このサーチライトが軍艦から発せられたものかは定かではないが、当時、救援物資や避難民の輸送の任務にあたっていた。

＊11　**本所深川**
本所は旧本所区、現在の墨田区の南部。深川は旧深川区、現在の江東区の北西部。隅田川をはじめ多くの運河が流れ、水運の便が良く、工業地帯として発展した。本所区の陸軍被服廠跡では、避難していた四万人のうち三万八千人が焼死体となった。深川区では、遊郭があった洲崎などから起こった火は強風によって広がり、一面が火の海と化した。

＊12　**カフェー**
コーヒーを飲む喫茶店の意もあるが、ここは女給が接待して酒等を飲む洋風の飲食店を指すか。現代でいうバ

担《かつ》いで近くにある寛永寺(＊14)の境内に避難した。そこで、私は家の者（母や妻や）に紹介されて、右隣の何某氏、何某夫人、左隣の何某氏、何某婦人と云った風な人々と挨拶を交した次第である。それから私たちは何日かの間、隣同志に野宿したり、火事が来そうだと言っては一緒に逃げ出したり、それから少し落着くと毎晩交替で、夜警(＊15)に出たりするうちに、向うの商人も隣の代議士も、その隣の新聞記者もみなみな長旅の汽車の三等客(＊16)のように親密になってしまった。この親密さは当然のことで、何の不思議なことではないが、私には何とも言えぬ嬉《うれ》しい気がした。

そしてこの二週間の間、私も、隣の人も、その又隣の人も、恐らく東京中の生きていた人たちは同じように、一箇か二箇の握飯と梅干とで暮した。不断労働していた人も、不断坐食《ざしょく》していた者も、殆ど同じように労働して暮した。誰も彼も最も少なく寝て、最も簡単に飲食して、そして最も多く働いた。私のようなものが斯ういう言葉を言うと、不思議に思われるかも知れないが、私は今度初めて斯ういう一種の共同生活の面白さを感じたことである。これは無論、人々が大根《おおね》を叩《たた》くと自分自身の安全の為からしたことに違いないが、私のような臆病者で、私のような独りよがりで、私のような我儘者《わがままもの》には、そういう私がこんな風に労働し、こんな風に飲食し、こんな風に共同生活をすることが出来るということを知った愉快さを、これも人には一向珍しくないことかも知れないが、私は甚だ愉快に感じたことである。

ーやキャバレー。

＊13 **活動写真館**
映画館の旧称。浅草六区は「活動館」が一九〇九（明治四二）年に開業し、人気を博していた。当時の活動写真は台詞を語る弁士や音楽を演奏する楽隊と共に上映された。

＊14 **寛永寺**
もと上野公園は寛永寺の境内であった。たとえば「今回の大震災は一日以来我東京市を火の海と化し延焼三日全都焦土となり終ぬ中に於て宮城及吾三大寺は無事現存御安心ありたし　東京都　寛永寺執事　増上寺執事　浅草寺執事」（「報知新聞」大正一二年九月七日夕刊）との広告が出され、寛永寺に限らず被害を免れた寺は市民の避難場所として使われた。

＊15 **夜警**
関東大震災直後は、警視庁が炎上したこともあり、市民の共助として夜の警備が行われた。

夜警

愛嬌話《あいきょうばなし》を一つ附加えると、九月二日あたりから、一部の過激思想の×××がこの騒動に附込んで放火するとか、爆弾を投げに来るとかいう流言が伝わって、実際そういう事実が幾分はあったのだろうが、それが非常に過大に伝えられた。それで私たちの町内でも一軒に一人ずつの男が出て、辻々《つじつじ》を警戒することになった。私もその一員として、五六人の人たちと一緒に、或晩四辻の角にステッキを持って出ていたところが、その中の一人が言うには、ここの所は東西南北ともに直《すぐ》そこに矢張り辻があって警戒の人たちが大勢出ているから何にもならない。それよりも公園の中の、美術学校(*17)と図書館(*18)との角の這入口《はいりぐち》のところを警戒する必要がある、あそこを通って学校の中にもぐり込まれたら、それこそ何をされても分らない、と言われて見るとそうに違いなかった、然し、そこは人家をかれこれ一丁も離れた所にあったから、誰も彼も表面は賛成しない訳に行かなかったが、内心余り動かなかったが、賛成した以上、否という訳に行かないので、六七人の人数を選んで出かけて行くことになった、その中に私も亦《また》入れられたのである。

そこは丁度三つ角になっていて、一方は図書館の前の木立で、他は美術学校側の草の生えた石垣で、もう一方は公園の針金の垣を廻《めぐ》らした草原になっていた。その草原の中には数多《あまた》の焼出された避難民たちが、思い思いに木の枝や、或いは亜鉛板や、戸板や、

＊16　**汽車の三等客**
鉄道の一般用客車のうち、最下等の車両。

＊17　**美術学校**
東京美術学校。日本で最初の美術家養成機関として、岡倉天心やフェノロサによって上野公園内に一八八七（明治二〇）年開校。現在の東京藝術大学美術学部。

＊18　**図書館**
帝国図書館。戦前で日本唯一の国立図書館。一八九七（明治三〇）年上野に設立。現在は国立国会図書館国際子ども図書館となっている。

テントなどで屋根を張って、野宿していた。私たち警戒員は思い思いにその三方に陣取って、通行人の張番をしていた。初め、これから谷中の天王寺(＊19)へ行く者とか、これから埼玉県大宮へ帰る者とか、日暮里(＊20)の方へ帰る者とかをつかまえて、その人たちを誰何《すいか》している時分は未だよかったが、いつか夜が更けて、人通りがなくなり、時々二人連れ位の剣つき鉄砲の兵隊が靴音をさせながら通ったり、巡査が三四人ばらばらに駆けて行ったりする外、すっかり四辺《あたり》が鎮まり返って来ると共に、言わず語らずのうちに各《おのおの》は物凄い気持に襲われ出した。

その時、突然、遠くの方で二三人の叫び声として、「警戒！」と聞えて来た。間もなく在郷軍人(＊21)のような恰好《かっこう》の男が暗闇の中から走って来て、「三名の黒い着物を着た××が第一のお霊屋《たまや》(＊22)の中に這入《はい》った！」と呼んで通った。すると間もなく、一人の巡査が走って通って言うには、「郵便配達の姿をした者に注意！」

その時、その第一のお霊屋と思われる辺で、トン、トン、トンと三発ほどつづいて銃声が起った。十人ばかりの兵隊がその方向に向って駆けて行った。「みんな火を消して下さい、避難の人たちもみな提灯を消して下さい！」と叫ぶ声が起った。

私たち警戒の者たちも持っている提灯の火を吹き消した。「みんな、危いから地面に蹲《しゃが》んで下さい。」とその中の一人が言った。「我々は飛道具を持っていないんだから、捕縛に行く訳に行かない。ですから、ここで斯うして息を凝らして忍んでいて、若《も》し怪しい奴が通りかかったら、そッとそいつの後をつけるか、直《ただち》に軍隊に報告するか、そうす

＊19 **谷中の天王寺** 谷中天王寺町。上野桜木町の北側に隣接する町。もと天王寺の境内であり、他の寺地と合併した。

＊20 **日暮里** 谷中から道灌山《どうかんやま》あたりまでの一帯を指す、江戸時代頃から用いられた呼称。

＊21 **在郷軍人** 軍隊を除籍した軍人を、有事の際に徴兵できるように設けられた制度。

＊22 **お霊屋** 身分の高い人の霊をまつっておく建物。ここは、寛永寺の徳川将軍家霊廟を指す。

るより仕様がないでしょう。」

言う迄《まで》もなく、私は非常に驚かされた。その時、先とは違った方角で又二発ばかり銃声が聞えた。警視庁と貼紙をした自動車(*23)が非常な速力で私たちの前を通り過ぎた。私たちは草原に腹這《はらば》いになりながら、息を殺してそれ等の様子を見ていた。その晩は後になってすっかり晴れ渡ったが、その時分には未だ星空半分に雲半分かかっていて、頻《しき》りに稲光りがしていた。私たちがあたり一面火を消した真暗な草原の中で腹這いになっていると、時々ぴかっぴかっと稲妻が一瞬間それぞれの所在を照らすのだ、その物凄さはなかった。

やがて、曲者《くせもの》は二人お霊屋の門の傍《そば》で捉《とら》えられたという報告が来た。が、まだ明りは消したままにということだった。無論、言われなくても、誰も明りをつけようとするものはなかった。私たちは言わず語らずのうちにも、先の銃声（それは後で考えて見ると、曲者側で射ったのではなく、兵隊の方からの空砲らしかった。）に嚇《おど》かされていたので、心の中ではこんな危険な線の警戒は一刻も早く引上げたく思っていた。然し、お互いの手前引上げようと口に出すことが出来なかったので、それから未だ一時間以上も、その暗がりの中で蹲んでいた。

私は或友達から半月ばかり前に三省堂発行の『星座早見』(*24)という星の図を貰って持っていた。その頃、長い夜警の暇つぶしに外に出る時は必ずそれを懐中に入れて出て、間があるとそれの時間と日を合わすことに依《よ》って見当をつけては空の星とそれとを見比べ

＊23　**警視庁と貼紙をした自動車**
いわゆるパトカーが導入されるのは戦後のことである。警視庁も火災の被害にあったため、貼紙で急ごしらえをした自動車か。

＊24　**三省堂発行の『星座早見』**
三省堂は一八八一（明治一四）年、神田神保町で亀井忠一によって創業された出版社。『星座早見』は初版が一九〇七（明治四〇）年に日本天文学会編で発行されている。

て星の名を知る楽みを楽しんでいた。それの面を見る為に私は懐中電灯を携帯することをも忘れなかった。で、その晩も例の銃声から三十分以上はそんな『星座早見』も何も忘れて、草原に突伏していたが、いつか四辺《あたり》も鎮まったらしいので、なるべく外の警戒の人たちから離れたところへ這って行って、その頃はもう稲妻も大抵消え、星が降るように冴《さ》えて来たので、一心にそれを眺めては、時々懐中電灯に依って『早見』と対照していた。

その時私の蹲んでいる草原から、針金の柵《さく》を隔てた往来を巡査らしいものが歩いて来る靴の音を私は聞いていた。が、互いに警戒に従事して居るものだからという位のつもりで、否私は殆どそんな事は気に止めないで、一心に星と星の図とを見比べていた。と、「誰だ!」と真に破《やぶ》れ鐘《がね》のような声が私の前で叫んだ。それは無論決して巡査などの持っている声ではなかった、兵隊でなければ、外の誰もが斯ういう声を持っていなかった。そして声と共に、私の目の前へ剣つき鉄砲の尖《さき》が突き出されていた。その時の私の驚きは先の銃声の時の何層倍だったろう。だが、幸いな事に、私自身が不思議だったほど、それに対する答《こたえ》が落着いていた。

「桜木町の警戒の者です、」と私がいつも興奮すると出るところの表面だけは妙に落着いて聞える声で答えたのだ。そこへ他の仲間の警戒員たちが弁解に来てくれた、――と斯ういう笑い話である。(九、一四)

燃える過去

「改造」第五巻第一〇号、大正一二年一〇月（改造社）

野上弥生子

大正十二年九月一日の午後二時過。あの怖ろしい地震を近所の小さい公園(＊1)の中に避《さ》けていた私たちは、西南の方に当って二三の爆音を聞いたと思ううちに、今まで正面の空一杯に立ち塞がっていた尨大《ぼうだい》な雲の峰――夜に入ると共に、これは下町のもの凄《すご》い火焔《かえん》の姿を現わしたのであるが――とは別な黒煙を千駄木《せんだぎ》の森越しに認めた。本郷の大学(＊2)が燃えているのだと云うことが分った頃には、私たちの頭の上には盛んに灰が降って来た。灰の中には多くの紙片が交って飛んで来た。よく気をつけて見るとそれは書物の燃《も》え屑《くず》らしかった。黒く焦げてはいるけれども、或《あ》る紙片の表には明らかに古本らしい印刷の文字が読まれた。ラテン語の燃え屑を拾った人もあった。私たちは図書館(＊3)が焼けつつあることを軈《やが》て知った。

「知識の宝庫が燃えている。」

野上弥生子《のがみやえこ》（一八八五 明治一八―一九八五 昭和六〇）小説家。大分県臼杵《うすき》市生まれ。本名ヤヱ。明治女学校高等科を卒業し、夫・野上豊一郎が夏目漱石門下であった縁から創作活動を始め、雑誌「ホトトギス」に処女作「縁《えにし》」を発表。「人形の望《のぞみ》」や「海神丸」で一躍有名になる。「青鞜」に参加し、女流文学の興隆にも尽力するなど、母親・主婦の目線で描いた文学作品はしだいに社会的な見識を深めていく。二〇年近くにわたって執筆し、一九五六（昭和三一）年に完結した「迷路」は、敗戦後の日本への鋭い文明批判の視点を持つ。創作活動の傍ら、翻訳や評論の業績も多い。

＊1　**近所の小さい公園**
野上の「大震災の記」によれば、日

少しでも書物を愛することを知っている者は、戦慄《せんりつ》なしにそれを見ることは出来ない筈《はず》である。私は目の前の空に流るる煙を眺めながら頭に降りかかる灰と、絶えず起る地震の中で、様々なことを考え続けた。私は五六日前までいた日光の山の中で毎日楽しみにして読んだ書物の一つの中に、恰度《ちょうど》今目前の光景と同じ場合を描き、且《か》つ、その貴重な焼失物に対して、独得の果断な解釈を与えていたことを思い出した。それはバーナード・ショオの戯曲で(＊4)、アレキサンドリアの図書館の火事に際する、シーザーと王トレミーの師、シオドタスの対話であった。私は地震と火事の騒ぎがやっと静まって、久しぶりに自分の机の前に坐《すわ》った時、その対話の下に記念のために線を引いた。それは斯《こ》うである。——

シオドタス　みんな焼けてしまったのです。シーザー、あなたは書物の価値も分らない野蛮《やばん》な軍人として後代に示され度《た》いのですか。

シーザー　シオドタス、わしだって著作者だ。がエジプト人は一にも書物、二にも書物で酔生夢死(＊5)の生涯を送るよりは、自分たちの本統の生活をする方が大事だ。

シオドタス　不朽の書物は十世紀にやっと一冊きり出来はしません。

シーザー　その書物だって人類に役立たなくなれば焼かれるだろう。

シオドタス　歴史がなくなれば、死はあなたを一兵卒の横に寝かせますよ。

シーザー　死はどんな時だってそうなのだ。わしはそれ以上の墓を求めはしない。

暮里渡辺町（現・荒川区西日暮里）にある日暮《ひぐらし》公園のこと。

＊2　**本郷の大学**　東京帝国大学。地震により薬学教室や医学教室などから出火し、構内の四〇余棟が焼失。

＊3　**図書館**　東京帝国大学の図書館。七〇万冊が焼失し、奇跡的に焼失を免れたのは一万冊ほどであったとされる。

＊4　**バーナード・ショオの戯曲**　イギリスの劇作家バーナード・ショー（一八五六〜一九五〇）の『シーザーとクレオパトラ』。被災する前、弥生子は家族と日光の温泉に一ヶ月近く滞在し、原書でこの戯曲を読破していた。以降の引用部も、弥生子自身による翻訳とされる。

＊5　**酔生夢死**　生きている意味を自覚せず、酒に酔うような、夢を見るような心地で死んでいくこと。

シオドタス　其処《そこ》に焼けているのは人類の記憶です。

シーザー　恥ずべき記憶だ。燃えるがよい。（＊6）

シオドタス　あなたは過去を滅ぼす積りですか。

シーザー　なに、その廃墟で未来を建設するのだ。だが、聞き給え、シオドタス、君と云う人はポンペイの首をば羊飼《ひつじかい》が一箇の玉葱《たまねぎ》を買うほどにも買わなかった癖に、間違いだらけの、けちな羊皮のために、老《おい》の目に涙をためてわしの前に跪《ひざまず》く。だが、わしはただの一人もバケツ一杯の水もそのために貸しはしない………

＊6　**恥ずべき記憶だ。燃えるがよい。**

「人類の記憶」が詰まったはずの書物を「燃えるがよい」と言い放つシーザーの姿に、弥生子は「独得の果断な解釈」を見出す。続けてシーザーの台詞にある「その廃墟で未来を建設する」とは、現代の言葉でいう〝スクラップ＆ビルド〟のような発想であり、喪失には常に新たな未来の創造があることを描いていたというのである。

大震前後

「女性」第四巻第四号、大正一二年一〇月（プラトン社）

芥川龍之介

八月二十五日。

一游亭《いちゆうてい》（＊1）と鎌倉より帰る。久米（＊2）、田中、菅《すが》、成瀬、武川《たけがわ》など停車場へ見送りに来る。一時ごろ新橋着。直ちに一游亭とタクシイを駆《か》り、聖路加《セントルカ》病院（＊3）に入院中の遠藤古原草《えんどうこげんそう》（＊4）を見舞う。古原草は病殆《ほとん》ど癒《い》え、油画具《あぶらえのぐ》など弄《もてあそ》び居たり。風間直得《かざまなおえ》（＊5）と落ち合う。聖路加病院は病室の設備、看護婦の服装等《など》、清楚甚《はなは》だ愛すべきものあり。一時間の後、再びタクシーを駆りて一游亭を送り、三時ごろやっと田端（＊6）へ帰る。

八月二十九日。

暑気甚し。再び鎌倉に遊ばんかなどとも思う。薄暮《はくぼ》より悪寒。検温器を用うれば八度六分の熱あり。下島《しもじま》（＊7）先生の来診を乞う。流行性感冒のよし。母、伯母、妻、児等、皆な

芥川龍之介（一八九二 明治二五 ― 一九二七 昭和二）

小説家。東京京橋生まれ。生まれて間もなく芥川家に養子に出され、文芸への関心を早くから抱く。久米正雄・松岡譲らと第三次「新思潮」を創刊すると、一九一六（大正五）年に発表した「鼻」が夏目漱石に激賞され、一躍で脚光を浴びる。関東大震災を機に勢力を増してきたプロレタリア文学や私小説に対し、芸術至上主義を貫こうとしたが、晩年には自身の執筆に対して懐疑的になり、悩みを深めていく。二七（昭和二）年自宅で服毒自殺。

＊1 **一游亭** 小穴隆一《おあなりゅういち》。一八九四（明治二七）～一九六六（昭和四一）。芥川作品の装丁を数多く手がけた画家。

多少風邪の気味あり。

八月三十一日。

病聊《いささ》か快きを覚ゆ。床上《しょうじょう》「澀江抽斎《しぶえちゅうさい》」(＊8)を読む。嘗《かつ》て小説「芋粥《いもがゆ》」を艸《そう》せし時、「殆《ほと》んど全く」なる語を用い、久米に笑われたる記憶あり。今「抽斎」を読めば、鷗外《おうがい》先生も亦《また》「殆んど全く」の語を用う。一笑を禁ずる能《あた》わず。

九月一日。

午《ひる》ごろ茶の間にパンと牛乳を喫《きっ》し了《おわ》り、将《まさ》に茶を飲まんとすれば、忽《たちま》ち大震の来《きた》るあり。母と共に屋外に出《い》ず。妻は二階に眠れる多加志《たかし》(＊9)を救いに去り、伯母は又階子段《はしごだん》のもとに立ちつつ、妻と多加志とを呼んでやまず。既にして妻と伯母と多加志を抱《いだ》いて屋外に出ずれば、更に又父と比呂志《ひろし》(＊10)とのあらざるを知る。婢《ひ》(＊11)しづを、再び屋内に入《い》り、倉皇《そうこう》比呂志を抱いて出ず。父亦《また》庭を回《めぐ》って出ず。この間地大いに動き、歩行甚だ自由ならず。屋瓦《おくが》の乱墜《らんつい》するもの十余。大震漸《ようや》く静まれば、風あり(＊12)。面《めん》を吹いて過ぐ。土臭《どしゅう》殆んど噎《むせ》ばんと欲す。父と屋《おく》の内外を見れば、被害は屋瓦の堕《お》ちたると石灯籠の倒れたるとのみ。

円月堂(＊13)、見舞いに来《きた》る。泰然自若たる如《ごと》き顔をしていれども、多少は驚いたのに違いなし。病を力《つと》めて円月堂と近隣に住する諸君を見舞う。途上、神明町の狭斜《きょうしゃ》を過ぐれば、人家の倒壊せるもの数件を数う。また月見橋のほとりに立ち、遥かに東京の天《そら》を望めば、

＊2 **久米**
久米正雄。九三頁参照。

＊3 **聖路加病院**
築地にある病院。

＊4 **遠藤古原草**
俳人。一八九三（明治二六）～一九二九（昭和四）。芥川と親交があった。

＊5 **風間直得**
河東碧梧桐門下の俳人。一八九七（明治三〇）～没年不明。

＊6 **田端**
都心部の区域から北に離れた旧北豊島郡に位置する。一八九六（明治二九）年に田端駅が設けられ、明治後半から大正にかけて美術家・文人が多く移り住み、文士村となった。

＊7 **下島先生**
田端に在住した医師、下島勲《いさおし》。一八六九（明治二）～一九四七（昭和二二）。芥川の最期を看取った。

天泥土の色を帯び、焔煙《えんえん》の四方に飛騰するを見る。帰宅後、電灯の点じ難く、食糧の乏しきを告げんことを惧《おそ》れ、蠟燭《ろうそく》米穀蔬《そ》菜缶詰《さいかんづめ》の類を買い集めしむ。

夜また円月堂と月見橋のほとりに至れば、東京の火災愈《いよい》よ猛《もう》に、一望大いなる熔鉱炉《ようこうろ》を見るが如し。田端、日暮里渡辺町等の人人、路上に椅子《いす》を据え畳を敷き、屋外に眠らんとするもの少からず。帰宅後、大震の再び至らざるなきを説き、家人を皆な屋内に眠らしむ。電灯、瓦斯《ガス》共に用をなさず。時に二階の戸を開けば、天色常に燃ゆるが如く紅《くれない》なり。

この日、下島先生の夫人、単身大震中の薬局に入《い》り、薬剤の棚の倒れんとするを支う。為めに出火の患《うれい》なきを得たり。胆勇《たんゆう》、僕などの及ぶところにあらず。夫人は澀江抽斎の夫人いほ(*14)女の生れ変りか何かなるべし。

九月二日。

東京の天《そら》、未《いま》だ煙に蔽《おお》われ、灰燼《かいじん》の時に庭前に墜つるを見る。円月堂に請い、牛《うし》込《ごめ》(*15)、芝《しば》(*16)等の親戚を見舞わしむ。東京全滅の報あり。又横浜並びに湘南地方全滅の報あり。鎌倉に止《とど》まれる知友を思い、心頻《しき》りに安からず、薄暮円月堂の帰り報ずるを聞けば、牛込は無事、芝は焦土と化せりと云う。姉の家、弟の家、共に全焼し去れるならん。彼等の生死だに明らかならざるを憂う。

この日、避難民の田端を経て飛鳥山《あすかやま》(*17)に向うもの、陸続《りくぞく》として絶えず。田端も亦《また》延焼せ

＊8 **「澀江抽斎」**
一九一六（大正五）年に「東京日日新聞」「大阪毎日新聞」で連載された、森鷗外の長編史伝小説。儒医・澀江抽斎の生涯を描く。

＊9 **多加志**
芥川の次男。一九二二（大正一一）～一九四五（昭和二〇）。第二次世界大戦中、ビルマ（現・ミャンマー）で戦死した。

＊10 **比呂志**
芥川の長男。一九二〇（大正九）～一九八一（昭和五六）。後に俳優・演出家となる。

＊11 **婢**
下働きの下女。現在では差別的な表現である。

＊12 **風あり**
関東大震災当日、日本海側には台風が発生し、台風の進路にあわせて西風、北風と方角が変わり、夜には風速二二メートルほどに達した。

んことを惧れ、妻は児等の衣《い》をバスケットに収め、僕は漱石《そうせき》先生の書一軸を風呂敷に包む。家具家財の荷づくりをなすも、運び難からんことを察すればなり。人欲素《じんよくもと》より窮まりなしとは云え、存外又あきらめることも容易なるが如し。夜に入りて発熱三十九度。時に〇〇〇〇〇〇〇〇あり。僕は頭重うして立つ能わず。円月堂、僕の代りに徹宵《てっしょう》警戒の任に当る。脇差《わきざし》を横たえ、木刀を提《ひっさ》げたる状《さま》、彼自身宛然《えんぜん》たる〇〇〇〇なり。

＊13 **円月堂**
長崎の郷土史家の渡邊庫輔。一九〇一（明治三四）～一九六三（昭和三八）。

＊14 **澀江抽齋の夫人いほ**
前掲注8の小説に登場する女性・五百《いほ》。抽齋の五人目の妻で、明確な意思を持った、決断力のある人物として描かれる。

＊15 **牛込**
現在の新宿区。陥没や火災があったものの甚大な被害を出すには及ばず、死者も二〇三名であった。

＊16 **芝**
現在の港区。京橋区の火流が流れ込み、汐留駅や芝離宮などを焼き尽くした。

＊17 **飛鳥山**
現在のＪＲ王子駅の南側にある丘陵。徳川吉宗の時代より桜の名所として知られる。

日録

「改造」第五巻第一〇号、大正一二年一〇月（改造社）

室生犀星

八月三十一日

駿河台（＊1）の浜田病院に行き生後四日のわが子を見る。女なれば朝子と命名す。妻もともに健かなり。

九月一日

地震来る。同時に夢中にて駿台なる妻子を思う。——神明町《しんめいちょう》（＊2）に出で甥とともに折柄《おりから》走り来る自動車を停《と》め、団子坂（＊3）まで行く。非常線（＊4）ありて已《や》むなく引き返す。とき一時半也。

家内一同ポプラ倶楽部《クラブ》（＊5）に避難す。芥川《あくたがわ》君、渡邊君に見舞わる。

夕方使帰りて妻子の避難先き不明なりと告ぐ。病院は午後三時ごろに焼失せるがごとし。或いは上野の山（＊6）に避難したるかも知れず、されど産後五日目にては足腰立つまじと

室生犀星《むろうさいせい》（一八八九明治二二—一九六二昭和三七）

詩人、小説家。石川県金沢市生まれ。本名照道。生まれて間もなく生母と離れ、九歳のときに実父が死去し、不遇な少年期を過ごす。二〇歳のときに詩人を志して上京。一九一八（大正七）年に代表作となる『愛の詩集』を完成させた後、自伝的な小説を手掛けて小説家としても評価される。二二年に長男を亡くし、翌年長女が生まれるもすぐに関東大震災に被災し、東京を離れて金沢に移住する。戦後に再び不遇時代を経験するも、幻想的な短編小説を執筆して文壇に返り咲く。

＊1 **駿河台**
現在の千代田区神田駿河台の辺り。

思う。――駿台、広小路、本郷一丁目総《すべ》て焼けたりと聞く。されど空《むな》しく上野の火をながめるのみ。

夜ポプラ倶楽部にて野宿す。一睡なきほどに露にてからだ濡《ぬ》れたり。肺にて病める一家三人の一本の傘に露を避け、人々と離れて避難せるがあり、――また夜もすがら老媼《ろうおう》の合掌して火の手あがる空を拝《おが》めるなどあり、上野あたりの煙の鼻に沁《し》みてえぐさ言わん方なし。

二日

早朝、お隣りの秋山、百田、甥、車やさんの五人づれにて上野公園を捜す、――満山の避難民煮え返るごとし。正午近く美術協会(＊7)に避難中の妻と子と合う。妻は予が迎え遅き為め死にしにあらざりしかと云う。

上野桜木町に出で宇野(＊8)君宅にて水を乞いしかど、引越し中にて果さず、隣家にて産婦に水を与う。――帰らんとして宇野君に会う。田端へ避難したまえと言い別る。

晩宇野君二十人の同勢にて来る。

三日

ともかく産婦と子供だけを国(＊9)へかえさんと思い、俥《くるま》の蹴込《けこ》みに米を用意して赤羽指して行く、途中暑気のためにみな疲る。

＊2 **神明町**
駒込神明町。現在の文京区本駒込。

＊3 **団子坂**
現在の文京区千駄木にある坂。

＊4 **非常線**
警官を配置して検問などを行う厳重な警戒態勢区域を囲む線。

＊5 **ポプラ倶楽部**
田端の洋画家が作ったテニスクラブで、社交場になっていた。

＊6 **上野の山**
上野公園あたりの一帯。一三頁参照。

＊7 **美術協会**
日本美術協会。上野公園内に展示のための会館を設けていた。

＊8 **宇野**
宇野浩二。一二頁参照。

＊9 **国**
犀星の故郷である石川県を指す。

赤羽は二三万の避難人河口に蝟集《いしゅう》す。今日汽車に乗らんこと思いもよらず、とかくせるうち雨ふり日暮れる、——一同途方に暮れていしに、十六七の少女のありて、我が家の座敷空いて居《お》れば来りて憩《やす》みたまえと言う。一同黙然として娘さんに連れ立つ、——別荘風な家にて小田切和一と表札に書かれてある、——

主人出で来り此宵《こよい》泊りたまえという。予と妻、甥、女中、車やの五人泊まることになる。白飯のお握り出でしとき皆この家の主人の好意に泪《なみだ》ぐむ。

四日

早朝、岩淵の渡し（＊10）を見るに、もはや人で一杯なり。産婦子供など列車に乗らんは命を棄てるも同様なりと通行の人々云う。

一同再び田端にかえらんことを思い、甥をして田端を見にやる。平穏也と告ぐ——時は日没に近ければ仕方なく此宵も泊ることになる。夕食に梨かじりつつ寝る。この家にも米なきごとし。

銃声と警鐘絶え間なし。

五日

親切なる小田切氏に別れ汽車に乗る。

四五人の消防夫産婦と子供とをかこみ保護して呉《く》れる。しかもこの非常時にさえ産婦

＊10 **岩淵の渡し** 岩淵は赤羽の地名。荒川の南側から、埼玉の川口方面へ渡るための船着き場。

のそばに人波の押し寄せることを食い止めくれしため、ようやく窒息をまぬがる。

田端へ着き産婦ようやく疲る。

生後八日目の子供は上野の火にあい、赤羽まで行きしが其《その》疲れもなくゆめうつつに微笑《わら》えり。さきに亡くせしかば（＊11）こんどはどうにかして育てんと思う。世に鬼はなしの言葉ようやく身に沁む。

六日

福士幸次郎《ふくしこうじろう》（＊12）君来る。君が家は深川なるによくも助かりしものかなと相顧みて言葉なし。

改造社（＊13）の上村君来る。何か是非かけといわれしも断わる。何をか書かんものぞ、——

佐藤春夫（＊14）無事なることを知る。惣之助《そうのすけ》（＊15）は如何《いかん》と思う。

藤沢清造《ふじさわせいぞう》（＊16）君来る。君は事変あるごとにいち早く来たらん人なるに、こんどはあまりに遅れたるため危からんと思いしなりと、これまた無事を喜び合う。

七日

堀辰雄《ほりたつお》（＊17）君来る、本所なれば母を亡くせしという。父は隅田川の石垣にしがみつき漸《ようや》く助かりしという。十九の美青年この一夜にて二十一二歳に見ゆ。ともに泪なくして語るべからず。

上村君再び来り書くことを命ず。きょう一日にて十五里歩けりという君の顔を見て書

＊11 **さきに亡くせしかば**
犀星は前年、長男を亡くしていた。

＊12 **福士幸次郎**
詩人。一八八九（明治二二）〜一九四六（昭和二一）。

＊13 **改造社**
東京毎日新聞社長・山本実彦《さねひこ》が創業の出版社。「改造」は一九二三年一〇月号に「大震災号」の特集を組んだ。

＊14 **佐藤春夫**
詩人、小説家。一五一頁参照。

＊15 **惣之助**
詩人の佐藤惣之助。一八九〇（明治二三）〜一九四二（昭和一七）。

＊16 **藤沢清造**
小説家。一八八九（明治二二）〜一九三二（昭和七）。

＊17 **堀辰雄**
一九〇四（明治三七）〜五三（昭和二八）。後に小説家になる。

くことを約束す。

八日

芥川君宅に行く、ともに動坂《どうざか》(*18)に行き食料品とクレオソード(*19)を買う。

夜、産婦発熱、下島先生(*20)提灯して来りたまう。オリザニン(*21)注射をこころむ。——国元には九月一日を以《もっ》て命日として仏花怠りなき由《よし》伝えらる。

九日

汽車の乗客静まり次第に帰国せんことを家内と相談す。郷里あるものの此《こ》の弱き心せんなけれ。——行きて己《おの》が身にふさわしき暮しを為《な》さんかな。

藤沢清造君来る。わが家に留まることを勧めしかど、下宿にて暮らさんと言う。文章倶楽部(*22)記者来る。

中央公論(*23)の木佐木君来る。

十日

午前六時佐藤春夫君来る。昨夜日暮里に野宿せしと言う。おたがい無事なりしことを語り、諸行無常の談尽きず、佐藤君一《ひ》と先《ま》ず大阪に行かんと言う。予も又た帰国せんことを語る、——午後一と先ず麴町(*24)の弟君のところへ行かんという。再会を約して別る。

＊18 **動坂**
現在の文京区本駒込と千駄木の間を通る坂とその周辺。

＊19 **クレオソード**
クレオソート。胃腸薬。

＊20 **下島先生**
二六頁参照。

＊21 **オリザニン**
鈴木梅太郎によって発見された栄養素。現在でいうビタミンB。

＊22 **文章倶楽部**
新潮社発行の文芸雑誌。一九二三年一〇月号に「凶災の印象／東京の回想」の特集を組んだ。

＊23 **中央公論**
中央公論社発行の総合雑誌。一九二三年一〇月号に震災特集を組んだ。

＊24 **麴町**
旧麴町区。現在の千代田区。

地とともに歎く

『大正大震火災誌』〈山本美編〉大正一三年五月（改造社）

与謝野晶子

大地をば愛するもの、悲しみを嘲《あざ》める九月朔日《ついたち》の天《そら》
休みなく地震《なゐ》(＊1)して秋の月明にあはれ燃ゆるか東京の街
光明を捨てし都が自らを焼く焔上《ほのほ》げあかくすれども
わが立てる土堤《どて》の草原大海の波より急に動くなりけり
おぼろげのものと不思議を思はざる心となりて悲しかりけり
わが都火の海となり山の手に残る半《なかば》は焼亡《せうまう》を待つ
凶《まが》ものを持つてふことはさしおきて天に比するに足らぬ人間
身の生くる幸《さいはひ》あるやあらざるやわが唯今の大事とはこれ
地震《なゐ》の夜の草枕(＊2)をば吹くものは大地が洩《も》らす絶望の息

与謝野晶子（一八七八 明治一一―一九四二 昭和一七）
歌人、作家、思想家。大阪府堺生まれ。本名しやう。与謝野鉄幹によって設立された新詩社に加わり、間もなく恋愛の情熱を詠んだ処女詩集『みだれ髪』を発表し、一躍脚光を浴びる。一九〇四（明治三七）年に発表した従軍中の弟に寄せた「君死にたまふことなかれ」は特に有名。評論活動にも意欲的で、女性の地位向上を説いた。晶子は自宅で被災し、この家族で外濠の土手へ避難した。この震災により、『源氏物語講義』の原稿を焼失し、その思いを雑誌『婦人世界』に「大切な原稿を土ふかく埋めておけばよかった」として寄稿している。

＊1　**地震**

一瞬にして都焼くもろしてふ心にだにもたとへがたかり

大正の十二年秋帝王の都（＊3）とともにわれ亡《ほろ》び行く

天地《てんち》崩《く》ゆ生命を惜む心だに今しばしにて忘れはつべき

道行くは目ざすところをもつ如《ごと》しうづくまる身のあはれならまし

地震《なゐ》の夜半人に親しきこほろぎのよそげに鳴くも淋しかりけれ

この夜半に生き残りたる数さぐる怪しき風（＊4）の人間を吹く

地ほろぶるこの期《ご》に至り泣く涙いさゝか甘く思ほゆるかな

月もまた危き中を脱したる一人と見えぬ都焼くる夜

自らの乱れ心の相《さう》をして都の半《なかば》燃えたちにけり

誰《たれ》見ても親はらから（＊5）の心地すれ地震《なゐ》をさまりて朝に至れば

地震《なゐ》の夜は茅草《かやくさ》のごと黒髪のしとゞに濡れて明けも行《ゆ》くかな

天地の大動乱の一部をばなさんがために人やふためく

身ゆるがし地の苦悩する悲しさよともに死なんと云はまほしけれ

空にのみ規律残りて日の沈み廃墟の上に月上りきぬ

天変がもたらすことの何なるを知らぬものなきけしきなるかな

傷負ひし人と柩《ひつぎ》が絶間なく前わたりする悪夢の二日

「なゐ」は『日本書紀』などにも見える言葉で、地盤そのものを指し、「なゐふる」「なゐよる」の形で地震が起こる意に用いられた。

＊2　**草枕**
旅の道中で道端の草を枕にして寝ることを意味する歌語であるが、震災当日の夜、避難民たちが野宿したことをいう。

＊3　**帝王の都**
東京を当時しばしば「帝都」と表現していたのは、宮城（皇居）のある都だったからである。

＊4　**怪しき風**
関東大震災当日の夜、風速一二メートルほどに達した。この夜吹いた風は火災の被害地域を更に広げた。

＊5　**はらから**
兄弟姉妹。

われの身に劫火の来り及ばぬを知りつゝあとに心おちゐず

人あまた死ぬる日にして生きたるは死よりはかなきこゝちこそすれ

なほも地震《なゐ》揺ればちまたを走る人生きとげぬなど思へるもなし

露深き草の中にて粥《かゆ》たうぶ地震《なゐ》に死なざるいみじき我子（＊6）

都焼く火事をふちどるけうとかるしろがね色の雲におびゆる

こゝろをばいまだ知らねど妖雲（＊7）のたつみの方に盛り上《あが》りたる

魔の鳥が火の翼伸べ羽ばたきすまさめ（＊8）に人の見うべしやこれ

立つと見る家のたゞちに焼亡《せうまう》す火の泉より火のほとばしり

地震《なゐ》と火のやゝしづまりて雨降りぬあらぬ姿の都の上に

死するもの幾万と聞く歎《なげ》けるは数なきまでの数にこそあらめ

愛憎の極度のものを運命がほしいまゝにも現せるかな

人の子を地より追はんとするものゝ力に抗すその群この群

帝王の都の灰となりしのち行きかふ雲もあはれなるかな

ニコライ（＊9）の四壁の上の大空を雲ぞ流るゝ覗《のぞ》きによれば

きはだちて真白きことの悲しかりわが学院（＊10）の焼跡の灰

焼けはてし彼処此処《かしこここ》にもたちまさり心悲しき学院の跡

＊6　**いみじき我子**
晶子は夫・鉄幹との間に計一二人の子をもうけた。震災当時は、三人の息子と四人の娘が生まれていた。

＊7　**妖雲**
不吉なことが起こる前兆となる、怪しい雲。

＊8　**まさめ**
正目。じかに自分の眼で正しく見る目。

＊9　**ニコライ**
ニコライ堂。駿河台にある日本ハリストス正教の教会堂。関東大震災により鐘楼が倒れ、内部が焼損してしまった。

＊10　**わが学院**
芸術家の西村伊作によって一九二一（大正一〇）年に神田駿河台に設立された文化学院。与謝野晶子は新しい時代を見据えた女子教育の実現のために学校設立に協力し、自ら教鞭を執った。関東大震災により校舎が

全焼した。

十余年わが書きためし草稿のあとあるべしや学院の灰

焦げはてしピヤノの骨のいくつをば見ん日なんども誰《たれ》思ふべき

わが心旅人よりもあはれなり焼けつるのちの駿河台行き

あぢきなきこの焼土に東京の芽の出《い》でんとも思はれぬかな

ニコライの塔のこはれにわが倚《よ》りて見る焦土《やけつち》の東京の色

もろもろのもの心より掻き消さる天変うごくこの時に逢ひ

東京の銀座の跡の焼土の横につらなる地平線かな

かくてなほ無限の時をもつことに誇る自然のうとましさかな

焦土よりすでに都の興るとよわれの築くはそれに似ぬかな

露宿

「女性」第四巻第四号、大正一二年一〇月（プラトン社）

泉　鏡花

二日の真夜中——せめてただ夜の明くるばかりをと、一時《ひととき》千秋の思《おもい》で待つ——三日の午前三時、半ばならんとする時であった。……

殆《ほとん》ど、五分置き六分置き(＊1)に揺返《ゆりかえ》す地震を恐れ、また火を避け、はかなく焼出された人々などが、おもいおもいに急難、危厄《きやく》をにげのびた、四谷見附《よつやみつけ》(＊2)そと、新公園の内外《うちそと》、幾千万の群集は、皆苦き睡眠《ねむり》に落ちた。……残らず眠ったと言っても可《よ》い。荷と荷を合せ、ござ、莚《むしろ》を隣《となり》して、外濠《そとぼり》を隔てた空の凄《すさま》じい炎の影に、目の及ぶあたりの人々は、老《おい》も若きも、算《さん》を乱して、ころころ成って、そして萎《なえ》たように皆倒れて居た。

——言うまでの事ではあるまい。昨日……大正十二年九月一日午前十一時五十八分に起った大地震このかた、誰《たれ》も一睡もしたものはないのであるから。

麹町《こうじまち》、番町の火事(＊3)は、私たち隣家二三軒が、皆跣足《はだし》で遁出《にげだ》して、此の片側の平家の屋

泉鏡花《いずみきょうか》（一八七三〈明治六〉—一九三九〈昭和一四〉）小説家。石川県金沢市で、彫金師の父と能楽を家業とする母の間に生まれる。本名鏡太郎。尾崎紅葉の作品に憧れ、一七歳で上京。自宅を訪ねて入門を請い、住み込み生活を送る。一八九五（明治二八）年に「夜行巡査」を雑誌「文芸倶楽部」にて発表すると、新進気鋭の作家として評価される。自然主義文学が盛んになる一方で、鏡花は「婦系図《おんなけいず》」をはじめとする独自の幻想性をもった作品を多数執筆した。

＊1　**五分置き六分置きに揺返す地震**　関東大震災の余震は、本震後二四時間以内に一五〇回以上も発生し、震度5以上の大きな余震も一五回あっ

根から、瓦《かわら》が土煙を揚げて崩る向側《むこうがわ》を駆抜けて、いくらか危険の少なそうな、四角《よつかど》を曲った、一方が広庭を囲んだ黒板塀《くろいたべい》(＊4)で、向側が平家の押潰《おしつぶ》れても一二尺の距離はあろう、其《そ》の黒塀に真俯向《まうつむ》けに取り縋《すが》った。……手のまだ離れない中《うち》に、さしわたし一町とは離れない、中六番町《なかろくばんちょう》から黒煙を挙げたのがはじまりである。——同時に、警鐘(＊5)を乱打した。が、恁《か》くまでの激震に、四谷見附の、高い、あの、火の見の頂辺《てっぺん》に、活《い》きて人があろうとは思われない。私たちは、雲の底で、天が摺半鐘《すりばん》を打つ(＊6)と思って戦慄《せんりつ》した。——「水が出ない、水道が留まった」と言う声が、其処《そこ》に一団に成って、足と地とともに震える私たちの耳を貫いた。息つぎに水を求めたが、火の注意に水道の如何《いかん》を試みた誰かが早速に警告したのであろう。夢中で誰とも覚えて居ない。其《そ》の間近な火は樹《き》に隠れ、棟に伏って、却《かえ》って、斜《ななめ》の空はるかに、一柱《いっちゅう》の炎が煙を捲《ま》いて真直に立った。続いて、地軸も砕《くだ》くるかと思う凄じい爆音が聞こえた。婦《おんな》たちの、あッと言って地に領伏《うつぶ》したのも少くない。その時、横町を縦に見通しの真空《まそら》へ更に黒煙が舞起って、北東の一天が一寸を余さず真暗に代ると、忽《たちま》ち、どどどどどどどどと言う陰々たる律を帯びた、重く凄《すご》い、殆《ほとん》ど形容の出来ない音が響いて、炎の筋を畝《うね》らした可恐《こわ》い黒雲が、更に煙の中を波がしらの立つ如《ごと》く、烈風に駆廻《かけまわ》る！……ああ迦具土《かぐつち》の神《かみ》(＊7)の鉄車を駆《か》って大都会を焼亡す車輪の轟《とどろ》くかと疑われた。——「あれは何の音でしょうか。」——「然《さ》よう何の音でしょうな。」近隣の人の分別だけでは足りない。其処に居合わせた禿頭白髯《とくとうはくぜん》の、見も知らない老紳士に聞く、私の声も震えれば、老紳士の唇《くちびる》の色も、尾花の中に、たとえば、な

た。

＊2　**四谷見附**
現在の新宿区と千代田区の境にある四ツ谷駅付近の地名。江戸時代に敵の侵入を見張る城門が置かれたことによる。

＊3　**麹町、番町の火事**
旧麹町区。現在の千代田区。住居が少ないことから犠牲者の数は多くなかったが、一部の山の手では火災が広がった。

＊4　**黒板塀**
黒く塗った板でできた塀。武家屋敷などで屋敷を取り囲んで建てられる。

＊5　**警鐘**
火災などの危険を知らせるための鐘。

＊6　**摺半鐘を打つ**
火事が起こったことを知らせるために、半鐘（小型の釣鐘）を続けざまに打った。

めくじの這《は》う如く土気色に変って居た。

——前《さき》のは砲兵工廠《ほうへいこうしょう》(＊8)の焚《や》けた時で、続いて、日本橋本町(＊9)に軒を連ねた薬問屋の薬ぐらが破裂した(＊10)と知ったのは、五六日も過ぎての事。……当時のもの可恐《おそろし》さは、われ等の乗漾《のりただよ》う地の底から、火焔を噴くかと疑われたほどである。

が、銀座、日本橋をはじめ、深川、本所、浅草などの、一時《いちじ》に八ヶ所、九ヶ所、十幾ヶ所から火の手の上ったのに較べれば、山の手は扨《さ》て何でもないもののようである。が、それは後に言う事で。……地震とともに焼出した中六番町の火が、……いま言った、三日の真夜中に及んで、約二十六時間、尚《な》お熾《さかん》に燃えたのであった。

しかし、其の当時、風は荒かったが、真南から吹いたので、聊《いささ》か身がってのようではあるけれども、町内は風上だ。差《さし》あたり、火に襲わるる懼《おそれ》はない。其処で各自《めいめい》が、かの親不知《おやしらず》、子不知《こしらず》の浪《なみ》(＊11)を、巌穴《いわあな》へ逃げる状《さま》で、衝《つ》と入っては颯《さつ》と出つつ、勝手元、居室《いま》などの火を消して、要心して、それに第一たしなんだのは、足袋《たび》と穿《はき》もので、驚破《すわ》、遁出《にげだ》すと言う時に、わが家《や》への出入りにも、硝子《ガラス》、瀬戸ものの欠片《かけら》、折釘《おれくぎ》で怪我をしない注意であった。そのうち隙《すき》を見て、椽台《えんだい》に、薄べり(＊12)などを持出した。何が何《ど》うあろうとも、今夜は戸外にあかす覚悟して、まだ湯にも水にもありつけないが、吻《ほっ》と息をついた処で

——

前日みそか、阿波《あわ》の徳島から出京した、浜野《はまの》英二《えいじ》さんが駆けつけた。英語の教鞭を取る、神田三崎町の第五中学へ開校式に臨んだが、小使が一人梁《はり》に挫《ひし》がれたのとすれ違い

＊7 **迦具土の神**
『古事記』『日本書紀』に登場する火の神。

＊8 **砲兵工廠**
陸軍の兵器製造工場として、小石川に設立された。火薬などが保管されていたため、関東大震災で甚大な被害を受けた。

＊9 **日本橋本町**
現在の中央区の地名。

＊10 **薬問屋の薬ぐらが破裂した**
日本橋区本石町で出火した火が、薬品問屋が立ち並ぶ日本橋本町に及び、倉庫の薬品などが次々と爆発した。

＊11 **親不知、子不知の浪**
北陸街道の難所で、ここを通る人は波間をぬって走りぬけなければならず、親は子を、子は親をかえりみる余裕がなかったことをいう。

＊12 **薄べり**
畳に縁《へり》だけをつけた薄い敷物。

に遁出《にげだ》したと言うのである。

あわれ、此《これ》こそ今度の震災のために、人の死を聞いたはじめであった。――ただ此《ここ》にさて、一同は顔を見合わせた。

内《うち》の女中の情《なさけ》で……敢《あえ》て女中の情と言う。此《こ》の際、台所から葡萄酒《ぶどうしゅ》を二瓶《ふたびん》持出すと言うに到っては生命《いのち》がけである。けちに貯えた正宗《まさむね》(＊13)は台所へ皆流れた。葡萄酒は安値《やす》いのだが、厚意《こころざし》は高価《たか》い。ただし人目がある。大道へ持出して、一杯でもあるまいから、土間へ入って、框《かまち》(＊14)に堆《うずたか》く崩れつんだ壁土の中に、あれを見よ、蕈《きのこ》の生えたような瓶から、遁腰《にげごし》で、茶碗で煽《あお》った。――言うべき場合ではないけれども、まことに天の美禄である。家内も一口した。不断一滴も嗜《たしな》まない、一軒となりの歯科の白井さんも、白い仕事着のままで傾けた。

これを二碗と傾けた隣家の辻井《つじい》さんは向う顱巻《はちまき》(＊15)の膚脱《はだぬぎ》の元気に成って、「さあ、こい、もう一度揺《ゆ》って見ろ。」と胸を叩いた。

婦《おんな》たちは怨んだ。が、結句此《これ》がために、勢《いきお》づいて、茣蓙《ござ》椽台《えんだい》を引摺《ひきず》り引摺り、とにかく黒塀について、折曲《おりまが》って、我家々の向うまで取って返す事が出来た。

襖障子《ふすましょうじ》が縦横《たてよこ》に入乱れ、雑式家具の狼狽《ろうばい》として、化性《けしょう》(＊16)の如く、地の震《ゆ》るたびに立ち跳《おど》る、誰《たれ》も居ない、我が二階家を、狭い町の、正面に熟《じっ》と見て、塀越のよその立樹《たちき》を廂《ひさし》に、桜のわくら葉(＊17)のぱらぱらと落ちかかるにさえ、婦《おんな》は声を立て、男はひやりと肝を冷して居るのであった。が、もの音、人声さえ定かには聞取れず、たまに駆る自動車の響《ひびき》

＊13 **正宗**
日本酒の銘柄。「正宗」は名酒の代名詞としてさまざまな酒蔵で用いられていた。

＊14 **框**
玄関や床の間などにわたす横木。

＊15 **向う顱巻**
結び目が額の上にくるように巻いた鉢巻。

＊16 **化性**
化け物、妖怪の意。

＊17 **わくら葉**
病気や害虫により、赤や黄色に変色した葉。

も、燃え熾《さか》る火の音に紛れつつ、日も雲も次第々々に黄昏《たそが》れた。地震も、小やみらしいので、風上とは言いながら、模様は何《ど》うかと、中六《なかろく》の広通りの市ヶ谷近い十字街へ出て見ると、一度やや安心をしただけに、口も利けず、一驚を吃《きっ》した。

半町ばかり目の前を火の燃通る状《さま》は、真赤な大川の流るるようで、然《しか》も凪《な》ぎた風が北にかわって、一旦《いったん》九段上へやけ抜けたのが、燃返って、然《しか》も低地から、高台へ家々の大《おお》巌《いわ》に激して、逆流して居たのである。

もはや、……少々なりとも荷もつをと、きょときょとと引返した。が、僅《わず》かにたのみなのは、火先が僅かばかり斜《なな》めにふれて下《しも》、中《なか》、上《かみ》の番町を、南はずれに、東へ……五番町の方へ燃進む事であった。

火の雲をかくした桜の樹立も、黒塀も暗く成った。旧暦七月二十一日ばかりの宵闇《よいやみ》に、覚束《おぼつか》ない提灯《ちょうちん》の灯《ひ》一つ二つ、婦《おんな》たちは落人《おちゅうど》が夜鷹蕎麦《よたかそば》(＊18)の荷に跼《かが》んだ形で、溝端《どぶばた》で、のどに支える茶漬を流した。誰《た》れひとり昼食《ひる》を済まして居なかったのである。

火を見るな、火を見るな、で、私たちは、すぐ其《そ》の傍《かたわら》の四角《よつかど》に彳《たたず》んで、突通しに天を浸す炎の波に人心地もなく酔って居た。

時々、魔の腕のような真黒な煙が、偉《おおい》なる拳《こぶし》をかためて、世を打ちひしぐ如くむくむく立つ。其処《そこ》だけ、火が消えかかり、下火に成るのだろうと、思ったのは空頼《そらだの》みで「ああ、悪いな、あれが不可《いけね》え。……火の中へふすぶった煙の立つのは、新しく燃えついたんで……」と通りかかりの消防夫《しごとし》(＊19)が言って通った――

＊18 **夜鷹蕎麦** 江戸の町で深夜遅い時間まで営業していたそば売り。夜鳴き蕎麦ともいう。

＊19 **消防夫** 震災当時、警視庁消防部の消防員はわずか八二四名であったが、江戸時代の火消しの流れを汲む予備消防員が一四〇二名所属していた。

＊20 **水上さん** 水上滝太郎。小説家。一八八七（明治二〇）～一九四〇（昭和一五）。

＊21 **鎌倉稲瀬川** 鎌倉を流れ、由比ヶ浜海岸から相模

（――小稿……まだ持出した荷も解かず、框《かまち》をすぐの小間《こま》で……ここを草する時……

「何《ど》うしました。」

と、はぎれのいい声を掛けて、水上《みなかみ》(＊20)さんが、格子へ立った。私は、家内と駆出して、ともに顔を見て手を握った。――悉《くわし》い事は預るが、水上さんは、先月三十一日に、鎌倉稲瀬《いなせ》川《がわ》(＊21)の別荘に遊んだのである。別荘は潰れた。家族の一人は下敷に成んなすった。が無事だったのである。――途中で出あったと言って、吉井勇《よしいいさむ》(＊22)さんが一所に見えた。これは、四谷に居て無事だった。が、家の裏の竹藪に蚊帳《かや》を釣って難を避けたのだそうである――）

――前のを続ける。……

其処へ――

「如何《いかが》。」

と声を掛けた一人《いちにん》があった。……可懐《なつかし》い声だ、と見ると、弴《とん》(＊23)さんである。

「やあ、御無事で。」

弴さんは、手拭を喧嘩《けんか》被《かむ》り、白地の浴衣《ゆかた》の尻端折《しりはしより》(＊24)でいま遁出したと言う形だが、手を曳《ひ》いて……は居なかった。引添《ひっそ》って手拭を吉原《よしわら》かぶり(＊25)で、艶な蹴出しの褄端折《つまはしより》をした(＊26)、前髪のかかり、鬢《びん》のおくれ毛、明眸皓歯《めいぼうこうし》(＊27)の婦人がある。しっかりした、さかり場《ば》の女中

湾へと注ぐ河川のある地域。

＊22 **吉井勇** 歌人。一八八六（明治一九）～一九六〇（昭和三五）。

＊23 **弴さん** 一四七頁参照。

＊24 **尻端折** しりはしおり。着物の裾をまくり上げて折り、帯の後ろにはさむこと。

＊25 **吉原かぶり** 二つ折りにした手ぬぐいを頭にかけ、まげの後ろで結んだかぶり方。吉原の物売りや芸人のかぶり方に由来する。

＊26 **蹴出しの褄端折をした** 女性が腰巻の上に重ねて着る布の裾をはさみこんだ。

＊27 **明眸皓歯** 美しく澄んだ瞳と、白くきれいな歯。美人のたとえ。

らしいのがもう一人後についていた。

執筆の都合上、赤坂の某旅館に滞在した、家は一堪《ひとたま》りもなく潰れた。——不思議に窓の空所へ橋に掛った襖《ふすま》を伝って、上《のぼ》りざまに屋根へ出て、それから山王様の山へ遁上《にげのぼ》ったが、其処も火に追われて逃《のが》るる途中おなじ難に逢って焼出されたため、道傍《みちばた》に落ちて居た、此の美人を拾って来たのだそうである。

正面の二階の障子は紅《くれない》である。

黒塀の、溝端の茣蓙へ、然《さ》も疲れたように、ほっとくの字に膝をついて、婦連《おんなれん》がいたわって汲んで出した、ぬるま湯で軽く胸をさすったその婦の風情は媚《なまめ》かしい。

やがて、合方《あいかた》もなしに、此の落人はすぐ横町の有島《ありしま》家(＊28)へ入った。ただで通す関所ではないけれど、下六同町内《しもろくどうちょうない》だから大目に見て置く。

次手《ついで》だから話そう。此《これ》と対をなすのは浅草の万ちゃん(＊29)である。おきょうさんが円髷《まるまげ》の姉さんかぶりで、三才のあかちゃんを十の字に背中に引背負《ひっしょ》い、たびはだし、万ちゃんのは振分《ふりわけ》の荷を肩に、わらじ穿《ばき》で、雨のような火《ひ》の粉《こ》の中を上野をさして落ちて行くと、揉返《もみかえ》す群集が、

「似合います。」

と湧《わ》いた、ひやかしたのではない、まったく同情を表《ひょう》したので、

「いたわしいナ、畜生。」

と言ったと言う——真個《ほんとう》か知らん、いや、嘘《うそ》でない。此《これ》は私の内へ来て(久保勘《くぼかん》)と染

＊28 **有島家**
里見弴の実家。

＊29 **浅草の万ちゃん**
久保田万太郎。小説家、劇作家。一八八九(明治二二)～一九六三(昭和三八)。

めた印半纏《しるしばんてん》で、（＊30）脚絆《きゃはん》の片あしを挙げながら、冷酒のいきづきで御当人の直話《じきわ》なのである。

「何《ど》うなすって。」

少時《しばらく》すると、うしろへ悠然として立った女性《にょしょう》があった。

「ああ……いまも風説《うわさ》をして、案じて居ました。お住居《すまい》は渋谷だがあなたは下町へお出掛けがちだから。」

と私は息せいて言った、八千代（＊31）さんが来たのである。四谷坂町の小山内《おさない》さん（＊32）（阪地滞在中）の留守見舞に、渋谷から出て来なすったと言う……御主人の女の弟子が、提灯を持って連立った。八千代さんは、一寸《ちょっと》薄化粧か何かで、鬢《びん》も乱さず、杖《つえ》を片手に、しゃんと、きちんとしたものであった。

「御主人は？」

「……冷蔵庫に、紅茶があるだろう……なんか言って、呆《あき》れッ了《ちま》いますわ。」

之《これ》は偉い？……画伯の自若《じじゃく》たるにも我折《がお》った（＊33）。が、御当人の、すまして、此《これ》から又渋谷まで、火を潜《くぐ》って帰ると言うには舌を巻いた。

「雨戸をおしめに成らんと不可《いけ》ません。些《ちっ》とは火の粉が見えて来ました。あれ、屋根の上を飛びます。……あれがお二階へ入りますと、まったく危《あぶの》うございますで、ございますよ。」

＊30 **印半纏**
背中や襟に屋号・家紋を染め抜いた半纏。職人や商家の使用人が着用した。

＊31 **八千代さん**
岡田八千代。小説家、劇作家。一八八三（明治一六）～一九六二（昭和三七）。兄は小山内薫、夫は洋画家の岡田三郎助。

＊32 **小山内さん**
小山内薫。一三八頁参照。

＊33 **我折った**
おそれいった。驚きあきれた。

と余所《よそ》で……経験のある近所の産婆さんが注意をされた。

実は、炎に飽《あ》いて、炎に背《そむ》いて、此の火たとい家を焚《や》くとも、せめて清《すず》しき月出《い》でよ、と祈れる甲斐《かい》に、天の水晶宮の棟は桜の葉の中に顕《あら》われて、朱を塗ったような二階の障子が、いま其の影にやや薄れて、凄くも優しい、威あって、美しい、薄桃色に成ると同時に、中天に聳《そび》えた番町小学校の鉄柱の、火柱の如く見えたのさえ、ふと紫にかわったので、消すに水のない劫火《ごうか》は月の雫《しずく》が冷すのであろう。火勢は衰えたように思って、微《かすか》に慰められて居た処であったのに――

私は途方にくれた。――成程ちらちらと、……

「ながれ星だ。」

「いや、火の粉だ。」

空《くう》を飛ぶ――火事の激しさに紛れた、が、地震が可恐《おそろし》いために町にうろついて居るのである。二階へ上《あが》るのは、いのち懸《がけ》でなければ成らない。私は意気地なしの臆病の第一人である。然《そ》うかと言って、焚《も》えても構いませんと言われた義理ではない。

浜野さんは、其の元園町《もとぞのちょう》(＊34)の下宿の様子を見に行って居た。――気の毒にも、其の宿では沢山の書籍と衣類とを焚《や》いた。

家内と二人で飛込もうとするのを視《み》て、

「私がしめてあげます。お待ちなさい。」

白井さんが懐中電灯をキラリと点《つ》けて、然う言って下すった。私は口吃《くちきっ》しつつ頭《つむり》を下

＊34　**元園町**　旧麹町区の町名。現在の千代田区麹町・一番町。

げた。

「俺も一番《ひとつ》。」

で、来合わせた馴染の床屋の親方が一所に入った。

白井さんの姿は、火よりも月に照らされて正面の椽《えん》に立って、雨戸は一枚ずつがらがらと閉って行く。

此の勢《いきおい》に乗って、私は夢中で駆上って、懐中電灯の灯《あかり》を借りて、戸袋の棚から、観世音の塑像を一体懐中し、机の下を、壁土の中を探って、なき父（＊35）が彫《ほ》ってくれた、私の真鍮《しんちゅう》の迷子札を小さな硯《すずり》の蓋《ふた》にはめ込んで、大切にしたのを、幸《さいわい》に拾って、これを袂《たもと》にした。

私たちは、それから、御所前の広場を志して立退《たちの》くのに間はなかった。火は、尾の二筋に裂けた燃ゆる大蛇の両岐《ふたまた》の尾の如く、一筋は前《さき》のまま五番町へ向い、一筋は、別に麴町の大通を包んで、此の火の手が襲い近《ちかづ》いたからである。

「はぐれては不可《いけな》い。」

「荷を棄《す》てても手を取るように。」

口々に言い交して、寂然《しん》とした道ながら往来《ゆきき》の慌《あわただ》しい町を、白井さんの家族ともろともに立退いた。

「泉さんですか。」

「はい。」

「荷もつを持って上げましょう。」

＊35　**なき父が彫ってくれた……**　父は泉清次。加賀藩に生まれた工匠で、彫刻や象嵌《ぞうがん》細工を家業とし、鏡花の芸術趣味に影響を与えた。迷子札は現存する。

おなじむきに連立った学生の方が、大方居まわりで見知越《みしりごし》（＊36）であったろう。言うより早く引担《ひっかつ》いで下すった。

私は、其の好意に感謝しながら、手に持《もち》おもりのした慾《よく》を恥じて、やせた杖《ステッキ》をついて、うつむいて歩行《ある》き出した。

横町の道の両側は、荷と人と、両側二列《ふたならび》の人のただずまいである。私たちより、もっと火に近いのが先んじて此の町内へ避難したので、……皆茫然《ぼうぜん》として火の手を見て居る。赤い額、蒼《あお》い頬《ほお》――辛うじて煙を払った糸のような残月と、火と、炎の雲と、埃《ほこり》のもやと、……其の間を地上に綴《つづ》って、住める人もないような家々の籬《まがき》に朝顔の莟《つぼみ》は露も乾いて萎《しお》れつつ、おしろいの花は、緋《ひ》は燃え、白きは霧を吐いて咲いて居た。

公園の広場は、既に幾万の人で満ちて居た。私たちは、其の外側の濠に向ったまま傍《かたわら》に、ようよう、地のままの蓆《むしろ》を得た。

「お邪魔をいたします。」

「いいえ、お互様。」

「御無事で。」

「あなたも御無事で。」

つい、隣に居た十四五人の、殆ど十二三人が婦人の一家は、浅草から火に追われ、火に追われて、ここに息を吐《つ》いたのだそうである。

見ると……見渡すと……東南に、芝、品川あたりと思うあたりから、北に千住浅草と

＊36　**見知越**　以前から面識があり、見知っていること。

思うあたりまで此の大都の三面を弧《こ》に包んで(＊37)、一面の火の天である。中を縫いつつ、渦《うず》を重ねて燃上って居るのは、われらの借家に寄せつつある炎であった。

尾籠《びろう》ながら(＊38)、私はハタと小用《こよう》に困った。辻便所(＊39)も何にもない。家内が才覚して、此の避難場に近い、四谷の髪結《かみゆい》さんの許《もと》をたよって、人を分け、荷を避けつつ辿《たど》って行く。……ずいぶん露路を入組んだ裏屋だから、恐る恐る、それでも、崩《くず》れ瓦《がわら》の上を踏んで行きつくと、戸は開いたけれども、中に人気は更にない。おなじく難を避けて居るのであった。

「さあ、此方《こちら》へ。」

馴染《なじみ》がいに、家内が茶の間へ導いた。

「どうも恐縮です。」

と、うっかり言って、挨拶《あいさつ》して、私たちは顔を見て苦笑した。

手を浄《きよ》めようとすると、白濁りでぬらぬらする。

「大丈夫よ――かみゆいさんは、きれい好《ず》きで、それは消毒が入って居るんですから。」

私は、とる帽もなしに一礼して感佩《かんぱい》した(＊40)。

夜が白んで、もう大釜で湯の摂待《せったい》をして居る処がある。

此の帰途《かえり》に公園の木の下で、小枝に首をうなだれた、洋傘《パラソル》を畳んだばかり、バスケット一つ持たない、薄色の服を着けた、中年の華奢《きゃしゃ》な西洋婦人を視た――紙づつみの塩煎餅と、夏蜜柑《なつみかん》を持って、立寄って、言《ことば》も通ぜず慰めた人がある。私は、人のあわれと、人の情《なさけ》に涙ぐんだ――。今も泣かるる。

＊37 **大都の三面を弧に包んで……** 東京の北、東、南の三方向が火災であることをいう。

＊38 **尾籠** 礼儀をわきまえないこと。見苦しいこと。

＊39 **辻便所** 公衆便所。

＊40 **感佩した** 心から感謝した。

二日――此の日正午のころ、麹町の火は一度消えた。立派に消口《けしぐち》を取ったのを見届けた人があって、もう大丈夫と言う端に、待構えたのが皆帰仕度《かえりじたく》をする。家内も風呂敷包を提《さ》げて駆け戻った。女中も一荷背負《しょ》ってくれようとする処を、其処が急所だと消口を取った処から、再び、猛然として煤《すす》のような煙が黒焦げに舞上った。渦も大《おお》きい。巾《はば》も広い。尾と頭《つむり》を以《もっ》て撃った炎の大蛇《おろち》は、黒蛇に変じて剰《あまつさ》え胴中を畝《うね》らして家々を巻きはじめたのである。それから更に燃え続け、焚《や》け拡《ひろ》がりつつ舐《な》め近づく。

一度内へ入って、神棚と、せめて、一間だけもと、玄関の三畳の土を払った家内が、又此の野天へ遁戻った私たちばかりでない。――皆もう半ば自棄《やけ》に成った。

もの凄いと言っては、浜野さんが、家内と一所に何か缶詰《かんづめ》ものでもあるまいかと、四谷通へ夜に入って出向いた時だった。……裏町、横通りも、物音ひとつも聞こえないで、静まり返った中に、彼方此方《かなたこなた》の窓から、どしんどしんと戸外へ荷物を投げて居る。火は此処の方が却《かえ》って押つつまれたように激しく見えた。灯《ともしび》一つない真暗な中に、町を歩行《ある》くものと言っては、まだ八時と言うのに殆ど二人のほかはなかったと言う。

缶詰どころか、蠟燭《ろうそく》も燐寸《マッチ》もない。

通りかかった見知越の、みうらと言う書店の厚意で、莫蓙を二枚と、番傘を借りて、砂の吹まわす中を這々《ほうほう》の体で帰って来た。

で、何につけても、殆どふて寝でもするように、疲れて倒れて寝たのであった。

却説《さて》――その白井さんの四才《よっ》に成る男の児《こ》の、「おうちへ帰ろうよ、帰ろうよ、」と言って、うら若い母《かあ》さんとともに、私たちの胸を疼《いた》ませたのも、その母さんの末の妹の十一二に成るのが、一生懸命に学校用の革鞄《かばん》一つ膝《ひざ》に抱いて、少女のお伽《とぎ》の絵本を開けて、「何です、こんな処で」と、叱《しか》られて、おとなしくたたんでほろりとさせたのも、宵の間《うち》で。……今はもう死んだように皆睡《ねむ》った――

深夜。

二時を過ぎても鶏《とり》の声も聞こえない。鳴かないのではあるまい、燃え近づく火の、ぱらぱらぱち、ごうごうどッと鳴る音に紛るるのであろう。唯此《ただ》の時、大路を時に響いたのは、粛然《しゅくぜん》たる騎馬のひづめの音(＊41)である。火のあかりに映るのは騎士の直剣の影である。二人三人ずつ、いずくへ行くとも知らず、いずくから来るとも分《わ》かず、とぼとぼとした女と男と、女と男と、影のように辿《ただよ》い徉徜《さまよ》う。

私はじっとして、又ただひとえに月影を待った。

白井さんの家族が四人、――主人はまだ焼けない家を守ってここにはみえない――私たちと……浜野さんは八千代さんが折紙をつけた(＊42)、いい男だそうだが、仕方がない。公園の囲《かこみ》の草畝《くさあぜ》を、枕にして、うちの女中と一つ毛布にくるまった。これに隣《とな》って、あの床屋子《とこやし》が、子供弟子づれで、仰向けに倒れて居る。僅に二坪《ふたつぼ》たらずの処へ、荷を左右に積んで、此の人数《にんず》である。もの干棹《ほしざお》にさしかけの茣蓙のしのぎをもれて、外にあふれた

＊41 **騎馬のひづめの音**
警戒にあたる軍隊の騎兵が移動する音をいう。

＊42 **折紙をつけた**
価値・資格などの保証ができること。「折紙」は鑑定保証書。

人たちには、傘をさしかけて夜露を防いだ。

が、夜風も、白露も、皆夢である。其の風は黒く、其の露も赤かろう。

唯《と》、ここに、低い草畝の内側に、露とともに次第に消え行く、提灯の中に、ほの白く幽《かすか》に見えて、一張の天幕《テント》があった。——昼間赤い旗が立って居た。此の旗が音もなく北の方へ斜《ななめ》に靡《なび》く。何処か大商店の避難した……其の店員たちが交代に貨もつの番をするらしくて、くれ方には七三の髪で、真白で、この中で友染模様の派手な単衣《ひとえ》を着た、女優まがいの女店員、二三人の姿が見えた。——其の天幕の中で、此の深更に、忽ち笛を吹くような、鳥の唄《うた》うような声が立った。

「……泊って行けよ、泊って行けよ。」

「可厭《いや》よ、可厭よ、可厭よう。」

　声を殺して、

「あれ、おほほほほ。」

　やがて接吻《キス》の音がした。天幕にほんのりとあかみが潮《さ》した。が、やがて暗く成って、もやに沈むように消えた。魔の所為《なすわざ》ではない、人間の挙動《ふるまい》である。

　私は此《これ》を、難ずるのでも嘲《あざ》けるのでもない。況《いわん》や決して羨《うらや》むのでない。寧《むし》ろ其の勇気を称《たた》うるのであった。

　天幕が消えると、二十二日の月は幽《かすか》に煙を離れた。が向う土手の松も照らさず、此の莫蓙の廂《ひさし》にも漏れず、煙を開いたかと思うと、又閉される。下へ、下へ煙を押して、押分けて松の梢にかかるとすると、忽ち又煙が空へ空へとのぼる。斜面の玉女《ぎょくじょ》が、咽《むせ》ぶようで悩ましく、息ぐるしそうであった。

衣紋《えもん》を細く、円髷《まげ》を、おくれ毛のまま、ブリキの缶に枕して、緊乎《しっか》と、白井さんの若い母さんが胸に抱いた幼児《おさなご》が、怯《おび》えるように海軍服（＊43）でひょっくりと起きるものを熟と視て、みつめて、むくりと半ば起きたが、小さい娘さんの胸の上へ乗って乗ると辷《すべ》って、ころりと俵にころがって、すやすやと其のまま寝た。

私は膝をついて総毛立《そうけだ》った。

唯今、寝おびれた幼いのの、熟とみたものに目を遣ると、狼とも、虎とも、鬼とも、魔とも分らない、凄じい面《つら》が、ずらりと並んだ。……いずれも差置いた荷の恰好《かっこう》が異類異形の相を顕わしたのである。

最も間近かったのを、よく見た。が、白い風呂敷の裂けめは、四角にクワッとあいて、しかも曲《ゆが》めたる口である。結目《むすびめ》が耳である。墨絵の模様が八角の眼《まなこ》である。たたみ目が皺《しわ》である。其の皺一つずつ、いやな黄味《きみ》を帯びて、消えかかる提灯の影で、ひくひくと皆揺れる狒々《ひひ》に似て化猫である。

私は鵺《ぬえ》（＊44）と云うは此かと思った。

其の隣、其の隣、其の上、其の下、並んで、重《かさ》って或《あるい》は青く、或は赤く、或は黒く、凡《およ》そ臼《うす》ほどの変な可厭《いや》な獣《けだもの》が幾つともなく並んだ。

皆可恐《おそろし》い夢を見て居よう。いや、其の夢の徴《しるし》であろう。

＊43　**海軍服**
海軍の水兵の制服をまねて作った洋服。セーラー服。当時、男女問わず子供服として着用されていた。

＊44　**鵺**
とらつぐみの異名。夜不吉な声で鳴く、伝説上の怪獣。一説に、頭は猿、体は狸、手足は虎、尾は蛇とする、異形の怪物であるという。

其の手近なのの、裂目の口を、私は余りの事に、手でふさいだ。ふさいでも、開く、開いて垂れると、舌を出したように見えて甘渋くニヤリと笑った。

続いてどの獣《けだもの》の面《つら》も皆笑った。

爾時《そのとき》であった。あの四谷見附の火《ひ》の見櫓《みやぐら》は、窓に血をはめたような両眼を睜《みひら》いて、天に冲《ちゅう》する、素裸《すはだか》の魔の形に変じた。

土手の松の、一樹《ひとき》、一幹《ひとみき》、啊呍《あうん》に肱《ひじ》を張って突立った、赤き、黒き、青き鬼に見えた。が、あらず、それも、後に思えば、火を防がんがために粉骨したまう憔身《しょうしん》の仁王の像《すがた》であった。

早や煙に包まれたように息苦しい。

私は婦人と婦人との間を拾って、密《そっ》と大道の夜気に頭《こうべ》を冷そうとした。――若い母さんに触るまいと、ひょいと腰を浮して出た、はずみに、此の婦人の上にかざした蛇目傘《じゃのめがさ》の下へ入って、頭《こうべ》が支《つか》えた。ガサリと落すと、微《かすか》に一時《ひととき》のうつつの睡《ねむり》を覚すであろう、手を其の傘に支えてほし棹《ざお》にかけたまま、ふやふやと宙に泳いだ。……此の中でも可笑《おかし》い事がある。

――前刻、草あぜに立てた傘《からかさ》が、バサリと、ひとりで倒れると、下に寝た女中が、

「地震。」

と言って、むくと起返る背中に、ひったりと其の傘をかぶって、首と両手をばたばたと動かした。……

いや、人ごとではない。

私は露を吸って、道に立った。

火の見と松との間を、火の粉が、何の鳥か鳥とともに飛散った。が、炎の勢《いきおい》は其の頃から衰えた。火は下六番町《しもろくばんちょう》を焼かずに消え、人の力は我が町を亡ぼさずに消した。

「少し、しめったよ。起きて御覧、起きて御覧。」

婦人たちの、一度に目をさました時、あの不思議な面は、上臈《じょうろう》のように、翁のように、稚児《ちご》のように、和《なご》やかに、やさしく成って莞爾《にっこり》した。

朝日は、御所の門に輝き、月は戎剣《じゅうけん》の閃影《せんえい》（＊45）を照らした。

――江戸のなごりも東京もその大抵は焦土と成《な》んぬ。ながき夜の虫は鳴きすだく。茫々《ぼうぼう》たる焼野原に、いかに虫は鳴くであろうか。私はそれを、人に聞くのさえ憚《はばか》る。しかはあれど、見よ。確に聞く。浅草寺《あさくさでら》の観世音（＊46）は八方の火の中に、幾十万の生命を助けて、秋の樹立もみどりにして、仁王門、五重の塔とともに、柳もしだれて、露のしたたるばかり厳《おごそか》に気高く焼残った。塔の上には鳩が群れ居、群れ遊ぶそうである。尚お聞く。花屋敷の火をのがれた象（＊47）は此の塔の下に生きた。象は宝塔を背にして白い……

普賢（＊48）も影向《ようごう》ましますか。

若有持《にゃくうじ》是《ぜ》観世《かんぜ》音菩薩名者《おんぼさつみょうしゃ》。設入大火《せつにゅうたいか》。火不能焼《かふのうしょう》。由是《ゆぜ》菩薩《ぼさつ》。威神力故《いじんりきこ》。

＊45 **戎剣の閃影**
兵器の瞬間的に見える影のこと。

＊46 **浅草寺の観世音**
一四頁参照。

＊47 **花屋敷の火をのがれた象**
浅草の花屋敷には当時見世物としての動物が飼育されていたが、火災に驚いた動物たちはほとんどが薬殺・射殺されてしまった。

＊48 **普賢**
普賢菩薩。文殊菩薩と並び、釈迦三尊として象に乗った姿で釈迦の右隣に配置される。衆生の救済を願った仏であり、延命の功徳があるとされる。

震災罹災記

「女性」第四巻第四号、大正一二年一〇月（プラトン社）

木村荘太

第一震が来た時に、私は日比谷公園(＊1)の前の帝国ホテル(＊2)の直ぐ傍の建物の中にいた。その日は天候が朝から変だった。朝、出掛けに（私の処は東京府下荏原《えばら》郡平塚《ひらつか》村中延《なかのぶ》(＊3)という、東京外廓の目黒、大崎、品川、大井、大森を円周の一辺として、その円心に先《ま》ず当る位置にある、一面の畑の中の丘の上にこの頃建ったばかりの家だが）その朝、私が出掛けようとすると、空が俄《にわ》かに曇って来て、嵐の前のように暗くなり、雨がどうっと降って来た。ひどい叩《たた》きつけるような、物凄《ものすご》い雨で、私は出るのを躊躇《ちゅうちょ》したが、そのうち雨は間もなく晴れ間を見せたので、市内に用があった私は、急いで雨仕度をして家を出た。家から省線(＊4)の駅で一番近い大井までは三十分ほどの道のりがある。その道を歩いて行くうち、私は馬鹿に暑く感じた。そして大井から二十分ほど省線電車に乗って、有楽町に着くと、いつか天気はからりと晴れてしまっていた。

木村荘太《きむらそうた》（一八八九 明治二二―一九五〇 昭和二五）
小説家、翻訳家。東京日本橋生まれ。本名の読みは「しょうた」。甘粕《あまかす》事件でともに殺害された、大杉栄の愛人・伊藤野枝《のえ》への片思いを綴った小説を発表、また多数の翻訳文学などを手がける。大正時代中期から白樺派の作家評論を発表し、一時は武者小路実篤が主催する「新しき村」に参加するも、すぐに離脱する。関東大震災を機に千葉県に移住し、農耕生活を送る。随想『農に生きる』など。

＊1　**日比谷公園**
現在の千代田区に所在する公園。武家屋敷の一帯が練兵場を経て、一八八九（明治二二）年に公園として設置された。震災により公園内の小音

午頃《ひるごろ》、用を済まして、大きな西洋館の第一階の室《へや》に私が立っていると、急に私は足の下で、どしんという強い震動を二つばかり感じた。地震だと思う間もなく、私の身体《からだ》はひどく斜めに傾いた。それで私は直《す》ぐ室を飛び出した。そして五六間駆けて、外に出るまでは夢中だったが、外に出て大地を踏むと、私は自分が駆けようとしても、駆けられないのに気がついた。歩こうとしてもよく歩けない。立っているにも、少し努力が要るほどだ。然《しか》し大きな西洋館の間の（狭くなかったにしても）往来に立った私は、建物が左右から崩壊して来る危険を感じて、努力を歩行に集中して、長い帝国ホテルの横側の通りを自分では駆けるつもりで、然し事実にはよろめきながら、公園の正門の前の電車道へ出た。歩こうとして、よく歩けない気持が何だか夢のようだ。ふと、左手《ゆんで》の帝国ホテルの前庭の、睡蓮《すいれん》の泛《うか》んでいる池を見ると、池の水がまるで海のように浪《なみだ》立って揺れているのが眼についた。それから更に電車道の向うへ行こうとすると、その時、私は公園の正門の石の柱（向って左側の）が、どうと土煙りのようなものを立てて、右の方へ倒れるのを見た。駆ける気で、事実ゆっくり歩いているのだから、周囲に起る事柄が、注意して見ようとしなくとも、眼《め》に這入《はい》って来る。右に神田橋(＊5)の方へ行く電車と、左に芝園橋《しばぞのはし》の方へ行く電車とが、ずっと向って右手のところに向き合って停《とま》っている。それで私は一先ず正門の前の電車の敷石の上に立った。門の石柱が倒れたのを見ては、公園へは這入る気がとても起らない。とにかく私が立っている処は、一番広い往来の真中だったから、私はそこに動かずにいようと思った。そこが一番安全に感じた。次ぎの瞬間

楽堂が倒壊し、喫茶店があった松本楼が焼失した。被災者の避難所にもなり、多くのバラック（仮設住宅）が建てられた。

＊2 **帝国ホテル**
アメリカの建築家・フランク・ロイド・ライトの設計したホテルで、関東大震災ではさほどの被害は出ず、復興の拠点として開放された。

＊3 **下荏原郡平塚村**
荏原郡は東京の南東部に位置する。平塚村は後に荏原区に配属し、品川区とあわせて現在の品川区となった。

＊4 **省線**
もと鉄道省（運輸省）に属していた鉄道線の意で、「国鉄」「国電」の旧称。

＊5 **神田橋**
日本橋川に架かる橋。

に、私は振り返って、私が出て来たところを見た。すると帝国ホテルと、帝国生命保険会社(*6)との間のかなり広い通りは、人で一杯に埋《う》ずまっていた。広い通りに、高い建物、その高い建物の下の広い通りが、一杯の人に埋ずまってしまっていて、皆薄い夏着で、(それがみんな白く私の眼に映った)その建物も、通りも、人も載せた大地が、そのまま自分の眼の前で、ゆらゆら大きく揺れているのだから、私は白昼眼が醒《さ》めて、ひどい悪夢に襲われている——と云ったのでは足りない、普段なら人間の想像の限りを尽さなければ考えられもしない大事実をまのあたり見ているのだということを感じた。同時に、胸が冷える気がして、中の鼓動に異常を感じる気さえしたが、私は気を熟《じっ》と落ちつけて、引き立てた。と、日比谷の交叉点の向うの、帝劇(*7)、警視庁(*8)があるあたりはそれまで見えていたのに、急に赤茶けた砂ほこりのようなものがその前に立ち昇って、見えなくなり、次いで有楽町駅の方角に、近く濛々《もうもう》とした黒烟《くろけむ》りが舞い上り出したのが、眼の前の大きな家々の屋根越しに見えた。(震動が静まってから、私は「一色《しき》だ。一色だ。」という声を聞いた。有楽町駅のガードの傍の一色活版所(*9)が焼けているというのだ。その日直ちに警視庁を焼いたのは多分この火だろうと思う)

　私が震災に遭った処の、第一震当時の被害はそれだけで終った。最後にも帝国ホテルと、私がいた処とは焼失を免れて、今元のままに現存しているそうだが、私はそれをまだ見ていない。

＊6　**帝国生命保険会社**
一八八八(明治二一)年に日本で二番目に設立された生命保険会社で、現在の朝日生命。

＊7　**帝劇**
帝国劇場。一九一一(明治四四)年に皇居前の幸島地区有楽町に開場した、日本初の純洋式の劇場。関東大震災で焼失した。

＊8　**警視庁**
一九一一(明治四四)年に日比谷に移転した赤煉瓦三階建ての二代目庁舎。東京の警察組織の本拠地であったが、震災により焼失。

＊9　**一色活版所**
有楽町にあった活版所。付近の家屋が倒壊し、活版所は焼失した。

当時、電車や、汽車は即座に、それから市街自動車も一台か二台で、間もなく停ってしまったそうだが、私は丁度上大崎《かみおおさき》（目黒駅附近）まで直ぐ帰る人の自動車に同乗させて貰《もら》って、まっしぐらに家へ帰った。日比谷から内幸《うちさいわい》町へ出、桜田本郷町を通って、芝《しば》公園を抜け（この間に最初の大きな余震に遭った）三田《みた》の松方邸に沿うて、再び大通に出るや、魚籃坂《ぎょらんざか》から目黒までの電車道を真直ぐに上大崎まで走ったが、その途上私は全く倒壊した家を一つも見なかった。日本家屋の屋根の瓦《かわら》は殆《ほと》んど震い落されていて（地盤がよくって瓦を先きに震い落されている余裕のあった家は、上が軽くなって倒れるのを助かったわけだ）最もひどいのでも土蔵造りの家が半壊して傾いたのを見たばかり、その他の軽い家も勿論《もちろん》、大きな西洋館も大通りから見えるのは、皆ちゃんと残っていた。ただひどいのは高い石塀や、土塀や、煉瓦塀《れんがべい》や、石垣であった。そんなのは皆往来へぴしゃと潰《つぶ》れて、倒れていた。然《しか》し死傷者も一人も見ず、私達は電車線路の敷石に出て避難している人々の間を縫って、速力を早めて走った。右手に白金台《しろかねだい》町の伝染病研究所(*10)の建物が燃えていた。（が、これは構内が広く、一軒焼けで止《とど》まった）

この私が震災当日に見た町々も、火を免れて、今その時のままでいる。私は五日に、目黒から芝公園(*11)までを自分の眼で見たが。

目黒の省線電車線路を越えて、市外に出て見ると、被害の程度が市内より、市外は眼立って少くなった。それでやや安心して、私は桐《きり》ヶ谷《や》を越えて、自宅へ帰ったが、私の家のあたりは被害の程度が更に少かった。深い竹藪《たけやぶ》が幾つかあるので、この際には特に

＊10 **伝染病研究所**
もと一八九二（明治二五）年に北里柴三郎を所長として芝公園に設立され、一九〇六年に白金台に新築移転。一九一六（大正五）年に東京帝国大学に所属し、伝染病について研究する付属施設となる。

＊11 **芝公園**
増上寺を中心とし、一八七三（明治六）年に設置された公園。夜間に風向きが変わると、京橋の火災は芝区内に及んだが、芝公園や増上寺の樹林が防火林として機能し、公園全域に及ぶことはなかった。

気が静まって、行くと、と胸を突かれたのは、ある竹藪の出外れの墓場の墓が殆んど倒れていたことだったが、然し眼に入る家の屋根の瓦も大してはは落ちているのが少かったので、又安心して、家に帰ると、後ろの庭の真中に、張板を二枚敷いて、その上に私の妻は寝そべって、子供に乳を含ませていた。数え年五つと三つとの私の子供が、両方から妻に縋《すが》りついていた。妻は地震が来た時に、子供に昼寝をさせていたが、震動に驚いて、寝ている二人の子供を両脇に抱えて庭に飛び出すと、三間ほど離れている今いる地点へ来るまでに、二三遍転がったと云う。（私の家は元左近山《さこんやま》といった丘を崩した跡に建てた家で、地盤はかなりいいらしい。後で聞くと、私達の方では、男でも地面に飛び出した刹那《せつな》に転んで、四つん這いになってしまったというものがある。私は市中で、非常な人を一時に見たが、然し転んだ者は見なかった。私達の方の地面には弾力があるのだろうと、ある人が云った。始終深く掘り返したり、敷石を敷いたりしてある市内の地面より弾力があって、人が転ぶ代りには、家を載せている地面の地震に対する抵抗力が強いのではないかと）

で、とにかく私達は無事を祝い合った。そして私達は災害がこれで終ったのだと思った。ただひどい揺り返しが後に来るのを恐れて、それだけを気遣った。それでその日は一日、私達は庭で過した。

落ちつかない一日だった。絶えずかなりひどい余震が来て、その度《た》びに私達は顔を見合せて、子供を抱《いだ》き合い、更にうんとひどく来る時の用意を怠らなかった。
が、時々家の前に出て見ると、私は大きな地震に市中で遭って来たことが、何だか夢のような気が又して来るのであった。私の家はあたりで一番高い処に立っていて、前には低い道を隔てて、右手に広い一面の畑を載せた武蔵野平野特有の緩い傾斜が、遥かに竹藪のこんもり立って、野を取り囲むところまで延びて、その左手の、私の家の正面には又遠く、高い街道が野につらなって見え、その野の中にある牧場《まきば》の柵《さく》も、水瓜畑《すいかばたけ》の竹垣も、地震をまるで知らないように静かに立っている。

然し地震は夢ではない。現実だ。恐ろしい現実だ。この平和な田舎の景色から（それは私の家の前から北と、西と、南の方一体に展《ひら》ける景色だが）振り返って後ろの東の空を見ると、そこには高い中空に恐ろしい雲がぬうと地から立っているように現われて、その雲の姿の実に何とも云えない異形さに、私は下からそれを仰いで、思わず身体《からだ》が悚《すく》む気がした。ひどい、大きな真白な入道雲で、その渦を巻く頂きがさながら下界を睨《にら》んで脅《おびや》かしているもののように見え、而《しか》も頭が真白なその雲の胴が烟りのような灰色で、下が汚ない虹《にじ》のように、ぼうっと薄赤く、黄いろくなって消えている。私はそれを前に話で聞いた気のする、地震に伴う天の異象《いしょう》だと思い込んだ。こんな異象が現われているうちは、安心が出来ないと思った。それでその夜は、庭の真中に張板と、厚い大きな裁縫台の板を並べて、布団《ふとん》を敷き、物干竿《ものほしざお》に蚊帳《かや》の取手を結びつけ、その中で寝ることにした。すると、日が暮れて来るに従って、さっきの雲の姿は消えたが、同時に北の方一帯がぽっと明るくなり出して、間もなくそこに火が見え出して来た。と、暗《やみ》が濃くなり出すにつれて（何処《どこ》にも電灯はつかなかった）見ている間に、その火の手は北から東へ掛けて、私がそれに対して両手を広げた範囲よりも広く上った。私は再び卜胸をつかれた。大火事だ。火はどんどん明るくなり出した。字の意味さながらに、火が天の一方を焦がしている。形容通り、東京市内は火の海だ。一帯に明るい火の中で、急に一箇処黒烟りが渦巻いて、火勢が盛り、ぱっと真赤な大きな炎が舞い上るのさえ見える。そのうち空が火の手ですっかり明るくなった。中空まで上っている、昼間雲と見た煙りの姿が、今度は夜の空の中に昼間の怪しい仮面を脱して、紛う方のないその本体、空を蔽《おお》う巨大な黒煙りの本体を現わし出した。（その夜、木更津《きさらづ》から逃れて来た陸軍飛行隊の自動車が二台通ったが、その運転手の話に拠ると、その人達は千葉で東京の空の煙りを臨んで、それを火山の噴火だと思ったという）

　私はその夜の揺り返しの恐れと、火を見る昂奮《こうふん》とで、その夜一晩眠られずに、庭の垣根に凭《もた》れて殆んど立ち尽した。実際、世の終りが来たのを見るようだ。夜が更けるに従って、火の中にはいろいろな物音が聞え出した。爆音（＊12）が殊によく聞えた。夜じゅう聞えた。近くには牧場の牛のうなる声、犬のけたたましく吠える声。それが動物の異常な恐怖を語るので、人を一層無気味な思いに誘い、そして火が大寄せに寄せて来るにつれて、火の中の物音もだんだん近く聞えて来る。ただその中で常と違わないのは、畑の中で啼《な》く地虫《じむし》の静かな声ばかりだ。子供を寝かしつけて来て、私の傍に立って火を見ている妻

＊12　**爆音**
目黒にあった海軍技術研究所では、火薬庫に引火して爆発が起こった。

は、「あ、泣いている声が聞える。」と云った。私もごやごやいう音を遠くで聞くように思っていたが、妻にそう云われて、耳を澄ますと、それからはその人声らしいものが耳について離れなくなった。気のせいかとも思ったが、実際聞える。今これを書いていても、その無気味な怪しい遠くの雑音を私は再び聞くような気がする。そして身慄《みぶる》いがして来る。焦熱地獄。阿鼻《あび》叫喚。（＊13）こんな言葉が親しい我々の日常語になったのだ。私は二度、火の中に星が長く尾を引いて、流れ落ちるのを見た。地球もこうして落ちて行くのではないかと思った。東北の空に高く、一つ火焔《かえん》に汚されない、澄んだ星の瞬いて明滅しているのが、下の炎に焼かれて落ちはしないかと、私ははらはらして見守った。東の空に高く上っている薄赤い煙りの中に月が出た。半月が血に染ったように真赤になって、雲の中から下界を覗《のぞ》き込んだかと思うと、又雲の蔭《かげ》に隠れた。月が顔を蔽ったのだとしか思われなかった。やがて、その月が空に高く登って、汚れを一掃したように、中天で澄んで光った時、その時私はどんなにほっとしたか知れない。その夜も、月が冴《さ》えて、煙りに汚されていない反面の西の空の中に光ったのを見て、私は自分の惑乱した心を僅《わず》かに静めることが出来た。

一晩寝ないで、火を見守って、絶えず余震に揺られ通して明かした九月二日の早暁が明け放れると、それでも私達の方は人心が一先ず安定した。火勢も朝になると衰えて、午近くには燃え止ったといって、人々が喜び合った。午過ぎに、友達が二人やって来た。

＊13 **焦熱地獄。阿鼻叫喚。** ともに死後の世界である八大地獄の名称。陥った者たちは責め苦によって悲惨な目に遭うという。

どっちも近くに住んでいる若い詩人で、私達はこの友達とこの日会うことが出来たのを、お互いにどんなに喜び合ったろう！　一人の友達の家は、畑を埋《うず》めた上に立っていて、地盤が悪かったために、即座に潰れたそうだが、然し人は無事で、今眼の前に立っている（宮崎丈二《じょうじ》（＊14））。然しもう一人の友達の方は、家は無事だったが、大変な目に遭って来た。無事な家を棄《す》てて、この友達は年取った父と母を日本橋まで助けに行った。火の中で、父と母は無事に救い出したが、友達は切角《せっかく》出会って、救い出した父と母の姿を火の中で見失って、一番最後にその火の中を潜《くぐ》って逃げなければならないことになってしまった。友達は火と煙りの中を、殆んど這うようにして、頭を地面に一二尺ほどの距離にまでつけて走って、夢中で駆けて、漸《ようや》く火の中を駆け抜けて、日比谷まで逃げたが、そこが日比谷だと知ると、潰れた新音楽堂（＊15）の側で、前後も知らずに一時間ばかり倒れて寝てしまったそうだ。それから又起きて歩き出して、五反田《ごたんだ》まで来ると、夜が明けたが、それからこっちの畑の景色を見乍《なが》ら、本当に静かな平和な畑の景色が、ただ夢としか思われなかったという。この友達は足を痛めている。そして火の中に見失った父と母の安否を案じて、蒼《あお》い沈痛な顔をしている（尾崎喜八《きはち》（＊16））。私は今涙なしに、この情景が思い出せない。私の老いた母も深川にいて、その安否がその時は判《わか》らなかった。（尾崎の父と母も、私の母も、幸いに生きていたが）。私達は友達の愛と、自然の静かな姿とのお蔭で、その時僅かに苦しい心を慰められることが出来た。

「あ、もずが啼いている。もう秋なんだなあ。」といって、私達は一斉《いっせい》にその声に耳を

＊14　**宮崎丈二**
白樺派の影響を受けた詩人、画家。一八九七（明治三〇）〜一九七〇（昭和四五）。

＊15　**新音楽堂**
日比谷公園内の小音楽堂。日本初の野外音楽堂として開業した。「新」とあるのは一九二三（大正一二）年七月に完成した大音楽堂を指すように思われるが、大音楽堂の震災被害は軽微なものであった。

＊16　**尾崎喜八**
詩人。一八九二（明治二五）〜一九七四（昭和四九）。

傾けた。

妻は水瓜を畑から取って来て、この二人の友達をもてなそうとした。

だが、その慰藉《いしゃ》も、平安も、実に瞬時のものであった。まだ私達の災害は終り切っていなかった。私達はその水瓜を半分も食べ切らないうちに、又この平和な野の景色と、家を棄て去らなければならなかった（＊17）…………（九月二十一日大阪天王寺にて）

＊17　**家を棄て去らなければならなかった**
木村は妻の故郷にあたる山形県酒田に避難、その後は千葉県印旛郡遠山村（現・成田市）へと移住することになる。

その日から翌朝まで

「改造」第五巻第一〇号、大正一二年一〇月（改造社）

山本有三

半月前に本郷から芝《しば》の田町（＊1）へ引越した。家は古いが木口（＊2）が悪くないのと、それに二階から海が見えて風通しがいいので、つい移る気になったのである。併《しか》し越して見ると下座敷が暗かったり、汽車の音がやかましかったりして、どうも住心地がよくなかった。そこでまたぽつぽつ貸家探しを始め出した。

その朝は雨もよいであったが、妻と一しょに駒沢村《こまざわ》（＊3）に家を見に行った。途中で烈《はげ》しい驟雨《しゅうう》に逢ったが、家を見て帰る頃には雨雲の間から太陽が覗《のぞ》いていた。大体気に入ったので、その家の近所の模様も知っておきたかったから、牛肉や餅菓子などを買って帰った。昼には少し早かったけれど、すぐに買って来た牛肉を煮ることにした。なかなかいい肉である。こんないい肉があるんなら、あの辺でもそう不自由なことはない、遠いけれども思い切って借りることにしようかなぞと話し合っていた。

山本有三（一八八七〈明治二〇〉—一九七四〈昭和四九〉）
小説家、劇作家。栃木県生まれ。本名勇造。東京帝国大学在学中に芥川龍之介らと第三次「新思潮」を起こし、戯曲を発表。以来、人間の尊厳を訴えた「嬰児殺《えいじ》し」や理想を求めた人々の姿を描く「路傍の石」など、人道主義的・理想主義的な作品を多く発表。文学者の地位向上運動や、明治大学文芸科の創設、児童文学の編集にも携わった。関東大震災で火災の被害に見舞われた後、一九三六（昭和一一）年に三鷹の洋館に移住して執筆活動に励んだ。

＊1　**芝の田町**
現在の港区芝・三田。東海道にのぞむ市街地だった。

突然すさまじい震動が来た。食卓の上の茶碗や小皿が一時に転げ落ちた。

「火を消せ。」

咄嗟《とっさ》に私はいった。牛肉を煮ていた石油厨炉《ちゅうろ》(＊4)がすぐに消された。家族の者は一塊《ひとかたまり》になって箪笥《たんす》の蔭に隠れた。間もなく第二、第三の震動が来た。茶箪笥の上の蠅帳《はいちょう》(＊5)や水差が転がり落ちた。女中は悲鳴を上げて外に飛び出そうとした。

「じっとしておれ。あわてるんじゃない。」

私が制した。折柄バラバラと夥《おびただ》しく瓦《かわら》の落ちる音がした。

「ゴーゴー、ヤイヤ。」

有一(＊6)が急に泣き出した。子供の泣声は地震よりも私を不安にさせた。こんなに揺《ゆら》ぐ家は是非越さなくってはいけない。駒沢村であろうが何処《どこ》であろうが早く越すことだ。その時自分はそんな風に簡単に考えていたほど、今度の地震をさして大地震だとは思わなかった。自分の家が古いために揺れ方が少し大きかったとばかり思っていた。併し激震が間遠になってから、外へ出て見ると安田貯蓄が潰《つぶ》れていたり、今村という富豪の家の石塀に子供が三人押し潰されていたり、この近くだけでも被害が可成《かな》りひどいのに驚いた。

隣家の柳沢伯邸(＊7)で庭園を解放した。そしてテント張の小屋を作ってくれたので、取敢《とりあ》えず家族の者とそこに避難した。併しこの辺は海の近くだから、津浪《つなみ》の来襲が何より恐《こわ》かった。あるものは来るといい、あるものは来ないという。けれどもどれも定見がある

＊2 **木口**
家に用いられた、材木の種類や品質。

＊3 **駒沢村**
世田谷地域の村で、もと東京府荏原郡や神奈川県北多摩郡に属していた。大正期に宅地開発が進められ、震災後に多くの人口が流入した。

＊4 **石油厨炉**
石油を用いて火をつけるコンロ。

＊5 **蠅帳**
食べ物に蠅などが入るのを防ぐための傘状の金網。

＊6 **有一**
妻・はなとの間に生まれた長男。一九二一（大正一〇）年一〇月に生まれ、当時はまだ二歳に満たない幼子であった。

＊7 **柳沢伯邸**
統計学者・柳沢保恵《やすとし》の邸宅。一八七〇（明治三）～一九三六（昭和一一）。柳沢家は旧郡山藩主の家で、

訳ではなかった。私は今更のように地震と津浪に関する知識を得ておきたかった。余震は絶えずあったけれども、もう大して大きなものは来なかった。私は不安を感じながらも思い切って二階の書斎に上って行った。そして辞書棚から日本百科大辞典(＊8)を取り出して、すぐに「地震」の条を見た。大森博士(＊9)が書いているので、随分詳しいけれども細かい活字でべたべたに組んであるのだから、こういう際には却《かえ》ってもどかしい気さえした。併し「余震は時として夥しき数に達するも性質上危険のものにあらず、余震あるがために地は再び安定の状況に帰するを得《う》るなり」という件《くだり》を読んだ時は救われたような気がした。それからすぐに「津浪」の条を見た。伊豆沖で起った地震の大半は津浪を伴うと書いてあったところを読んだ時にはぎょっとしたが、地震に伴って起る津浪は、激震後三十分乃至《ないし》一時間位の間に押し寄せるのが普通であるという記事を見てほっとした。もう激震のあった時から数時間を過ぎていたからである。それによし津浪があったとしても、東京湾のように入口の狭い湾内には、そうひどい津浪は来襲しないという説明も私を少なからず安心させた。

併し地震と共に各所に起った火事は容易に鎮定しそうに見えなかった。さいわい近所に失火がなかったから、そうあわてる必要はなかったけれども、草稿と重要書類だけは一纏《ひとまと》めにしてテントのところへ持って行った。

うす暗がりの中で夕食の代りに握り飯を食べた。

夜に入って火の手は益々《ますます》強くなった。赤坂方面から来るものと、新橋方面から来るも

明治以降は伯爵位を授けられ、保恵が東京・芝に邸宅を構えた。

＊8 **日本百科大辞典**
三省堂より一九〇八（明治四一）年以降順次刊行された、日本最初の本格的な百科事典。

＊9 **大森博士**
大森房吉。一八六八（明治元）〜一九二三（大正一二）。日本の地震学の第一人者で、初期微動継続時間を用いて震央を計算する計算式「大森公式」にその名を残す。

のと一しょになってこちらに押し寄せて来るらしく見えた。併しここまでは余程の距離があるから大丈夫のようにも思えたが、こういう震災には火災保険が無効であるから、着換えの着物位は出しておく方がいいと思った。それでもう一度家に戻って衣類を風呂敷に包んだ。後で知ったことであるが、私はその時必要な着換えよりも紋付や模様物をかなり包み込んだ。自分は今度の災難には余りあわてなかったつもりでいたが、やはりあわてていたのである。書物は何を持ち出そうかと思って、暫《しばら》く本棚の前に突立っていた。併しいざとなるとどの本もどの本も重要でないのに今更驚いた。ただ辞書類を少し出すことにした。そして有一の乳母車《うばぐるま》と共にそれ等のものをテントの傍《そば》に運んでおいた。

　家人にはつとめて安静にしているように勧めた。母も有一も女中もテントの中でかなりよく眠っていた。私は絶えず電車通に出ては火の手を眺めていた。折々自動車がやって来ては、火が神谷町《かみやちょう》に這入《はい》ったとか、芝橋まで燃え拡《ひろ》がったとか知らせてくれた。その内ついに芝公園が猛火に包まれたと聞いた時、もう駄目だと思った。私は家族の者を起して支度をさせた。同じテント内に避難していた者は大部分鉄道線路の方に逃げた。併しあちらは風下になるから私たちは電車道を品川の方へ向った。自分の外には一人も男手がなかったから、私は大きな荷物を背負って乳母車を押して行った。有一はよく眠っているところを急に起されたけれど、泣きもしなかった。そしておとなしく妻におぶさっていた。往来で電車を見ると、「チンゴー、ノンノ」と、いった。妻が電車は動かないのだと説明すると、「チンゴー、ネンネ」といって、自分も妻の背中に頭を押しつけた。

品川駅の前の広場で暫く休んだ。併し火の手はますます強まるように見えた。われわれはまた荷物を背負って歩き出した。八つ山の鉄橋(*10)の上から後を振り返って見ると、東京は一面の火の海だった。ひとりでに涙がにじんで来た。

南品川で夜が明けた。そこの小学校の避難所に家族の者と荷物とを托した。火の手はまだ鎮まらないけれども、兎《と》に角《かく》自分だけ東京へ引返すことにした。私は焼跡に立っている自分自身を想像した。併し帰って見ると家はそのままであった。別に嬉《うれ》しくも悲しくもなかった。置きっ放しにしてあった鉄瓶《てつびん》の湯を口呑《くちのみ》にし、ウエーファをばりばり食べた。揺り返しはまだ絶えずあったけれど、押入から布団《ふとん》を一枚引きずり出して、いきなりそこに横になってしまった。

＊10　八つ山の鉄橋
品川にある、武蔵野台地突端に架けられた鉄橋。

焦土の都にて

『大正大震火災誌』〈山本美編〉大正一三年五月（改造社）

荻原井泉水

空にうつる火の中より蒲団《ふとん》負うて来る
劫火《ごふくわ》更けつゝ欠けし月を吐けり
地ふるふ夜半の深き井戸水を釣る
地震《なゐ》の懼《おそ》れつゞく日の蜘蛛《くも》は巣をつくる
虫鳴く家のゆがみに住めば住まるる
施与(*1)のさかなの塩辛く命ありてぞ
飛行機を仰ぎ焼原の飢ゑた子供等
日が出てけふも迷ひ人呼ばるゝ焼原
お城の松の焦げし緑はありずつと焼原

荻原井泉水《おぎわらせいせんすい》（一八八四明治一七—一九七六昭和五一）
俳人、俳論家。東京芝神明町（現・港区浜松町・海岸）生まれ。本名藤吉。正岡子規の一派に加わり俳句会を起こしたのち、河東碧梧桐《かわひがしへきごとう》の新傾向俳句に参加し、雑誌「層雲」を創刊。ゲーテなど西欧の詩人に傾倒し、また禅宗に参加した経験もふまえ、独自の自由律俳句を確立した。句集に『自然の扉』『原泉』など。井泉水は麻布宮村町（現・港区元麻布）の医者帰りの道中で被災。自宅は倒壊を免れたものの、余震への不安から震災当日は草原で野宿したという。震災の翌月に妻を亡くすと、幼子・老母を立て続けに亡くし、人生の大きな転機となった。

誰《たれ》とて汗しておのが家の灰掻《か》く事
焼け出された児が蝉を握つてゐる
焼け穴のゆもじ（＊2）して無事で水汲む
屍体が寄り来る汐《しほ》に渡し（＊3）を待たされる
焼原の屍《しかばね》から産《うま》れたバッタ飛んでゐる
凡《すべ》てを焼いた人達に空が青いばかり

＊1　**施与**
人から施しとして与えられたもの。

＊2　**ゆもじ**
湯文字。もと入浴着を意味する女房詞。女性が着物の下に着る腰巻。

＊3　**渡し**
河の対岸まで物や人などを舟で渡すこと。震災直後には、猛火から逃げるため川に飛び込んだ人々の死体が川を埋め尽くしていた。

◉解説　関東大震災で明暗が分かれた東京

関東大震災では、東京は下町が甚大な被害を受けた。隅田川東側の本所（今の墨田区南部）と深川（今の江東区北西部）は、全滅と言っていい状況だった。なかでも、両国駅の北側は旧陸軍の軍服などを作る被服廠の跡地が広大な空き地になっていたので、避難場所と考えた人々が次々と逃げ込んだ。そこに火災旋風が発生して、三万八千人が亡くなったのである。

隅田川西側の浅草（今の台東区東部）の被害も大きかった。浅草寺は奇跡的に焼け残ったが、仲見世や花屋敷は焼け、十二階と呼ばれた凌雲閣は八階から折れた。浅草寺周辺は娯楽の殿堂だったが、壊滅的な被害を受けたのである。その後、隣接する下谷（今の台東区西部）にも火災が広がり、広い地域が焼けてしまった。

それに対して、武蔵野台地に位置する山の手の被害は小さかった。下町には演劇の関係者が住んでいたが、多くの文豪は山の手に暮らしていた。高台に位置する上野公園には多くの人が避難した。公園の北にある寛永寺の境内に避難した小説家の宇野浩二は「三百年の夢」で、東京が被災した地域と被災しなかった地域に引き裂かれ、避難生活を送る人々の間に絆が生まれたことを書いた。

旧東京市外の日暮里に住んでいた小説家の野上弥生子は「燃える過去」で、飛んできた書物の燃え屑の内容を見て、東京帝国大学（今の東京大学）の図書館が焼失したことを確信した。そして、イギリスの劇作家のバーナード・ショーの戯曲『シーザーとクレオパトラ』から、エジプトのアレキサンドリアの図書館の火事をめぐる対話を引き合いに出して、被災と復興をめぐる対極的な考え方を示した。

田端には、小説家の芥川龍之介や室生犀星といった文豪が暮らしていた。芥川は「大震前後」（後に「大震日録」と改題）で、被災の様子を詳しく書いた。妻は子供たちの衣服を持ち出したが、芥川は夏目漱石の書を持ち出したというエピソードは、二人の考え方の違いをよく示す。犀星は「日録」（後に「震災日録」と改題）で、妻と生まれたばかりの子供と再会し、故郷の金沢に避難させようとした。故郷がある者の多くは、いったん東京を離れるのが普通だった。

外濠に近い麴町は、山の手でも大きな被害があった。「地とともに歎く」を詠んだ歌人の与謝野晶子は、家族とともに外濠の土手に避難したが、駿河台の文化学院に置いていた『源氏物語講義』の草稿を焼いてしまった。また、小説家の泉鏡花は「露宿」で、迫ってくる火事を避けて、東宮御所（赤坂離宮）前の公園の広場に避難した。独特の文体を使って、月夜の中で見た避難者の姿を怪異として描いた。

小説家の木村荘太は「震災罹災記」で、日比谷から中延に戻り、東京の郊外では普段と変わらない日常があることを書いた。また、山本有三は「その日から翌朝まで」で、田町から品川に向かって避難したことを書いた。百科辞典で地震や津波を調べ、辞書類を持ち出したというのは、芥川と比べることができる。

俳人の荻原井泉水は「焦土の都にて」で、焼け跡から復活する人間と小動物を俳句に詠んだ。

第二章　津波と山崩れにあった美景の地

東京から鎌倉まで

「女性」第四巻第四号、大正一二年一〇月（プラトン社）

広津和郎

最初は震源地が江戸川上流だと云う事が、各所の電信柱に貼り出された。江戸川の上流ならば、鎌倉は心配ないと思った。私の一家は鎌倉にあるのだ。江戸川の上流と鎌倉とは東京を中心として見れば、全然反対の方向なので、鎌倉が東京よりも震動がひどいと云う事はあり得ない。そう思った。そして私は友人三人と共に、神楽坂《かぐらざか》（＊1）を出て、牛込《うしごめ》見附《みつけ》（＊2）附近から九段の方を見て歩いていた。私は上京して牛込神楽坂上の下宿に泊っていたのだ。今度の震災で一番幸運だったのは牛込区だった。私のいた下宿屋の三階は、ネダ（＊3）がゆるんで、平生でもぐらぐら動いていたが、それが倒れなかったのは、地盤の好《よ》い牛込区内だったからだ。壁が落ちて、その土を頭からかぶったと云うだけで、それ以上の被害はなかった。

それで、割合に暢気《のんき》な心持で、友人達と一緒に各所の被害を見物して歩いていた。い

広津和郎《ひろつかずお》（一八九一〈明治二四〉—一九六八〈昭和四三〉）小説家、評論家。東京市牛込区（現・新宿区）矢来町に生まれる。父は明治を代表する作家の広津柳浪。旧制麻布中学校を卒業後、早稲田大学英文科に入学。在学中、大学の聴講生であった葛西善蔵と同人雑誌「奇蹟」を創刊した。関東大震災当時には東京神楽坂に下宿していて、付近の見物をしたのち、鎌倉の父母を見舞った。戦前・戦後を通して広範な文筆活動を展開し、晩年には松川事件（一九四九〈昭和二四〉年に福島県松川で起きた列車転覆事件）の裁判批判にもかかわった。代表作に『神経病時代』『年月のあしおと』など。

＊1　**神楽坂**
現在の新宿区の地名。当時和郎は、

ずれにしてもその晩は野宿しなければならないと思ったので、腹の空《す》いた時の用意にと、塩煎餅《しおせんべい》の大きな袋を買い込んで、それをぼりぼり噛《かじ》りながら歩いた。その早速塩煎餅を買い込んだと云う事が、後になって非常に役立った。——その時牛込見附内の歯科医学校から出た火が、その附近を盛んに焼いていた。それと同時に飯田橋の橋向うの小石川区から発した火は、砲兵工廠《ほうへいこうしょう》(＊4)の方へと見る間に延びて行っていた。そして又一方には市ヶ谷見附の内側の三番町(＊5)辺りから起った火が、その辺を舐《な》めていた。町は混乱を極めていた。地震と火事とに慴《おび》えた群集が、少しでも空地があると、そこに避難していた。市ヶ谷停車場前の広場で、直木三十三《なおきみそぞう》(＊6)君が帽子を二つ変な恰好《かっこう》に重ねて被《かむ》って突っ立っていた。細君と子供とがそこから少し離れた砂利の上に出された荷物の蔭に、しょんぼり蹲《つくば》んでいた。

「何も彼も蒔《ま》き直しだ。俺の家なんか焼けた方が好《い》いんだ」こんな事を彼は笑いながら云っていた。

彼と別れて、私達は富士見町から九段上の方へ歩いた。そこの芸者屋町が南から北へ向って、順々に焼けている最中だった。手拭を姉さん被り(＊7)にした芸妓《げいこ》達が、荷物を靖国《やすくに》神社(＊8)の境内に盛んにはこんでいた。ここの気分は非常に暢気だった。誰《たれ》ひとり火事を消そうと思っている者もないらしく、はこんでしまった荷物の側に突っ立って、自分の家《うち》に火がついて行《ゆ》くのを、みんな暢気な顔をして見物していた。凄惨な気が少しもなくて、何処《どこ》となくとぼけていた。

神楽坂上の下宿である神楽館に住んでいた。

＊2 **牛込見附**
現在の千代田区の地名。「見附」は江戸城外濠に設けられた監視所のことで、石垣が残る。

＊3 **ネダ**
根太。床板を支える横木。

＊4 **砲兵工廠**
東京砲兵工廠。四〇頁参照。

＊5 **三番町**
現在の千代田区の地名。東側が皇居千鳥ヶ淵に接する。

＊6 **直木三十三**
小説家の直木三十五。自分の齢で「三十一」「三十二」などと称した。一八九一（明治二四）～一九三四（昭和九）。大衆文学の大賞として知られる直木賞の由来となる。一九二一（大正一〇）年ごろ、雑誌「人間」の編集を手がけ、小説を執筆し

が、九段の坂上に立って、そこから下手に見える神田から日本橋の方を見渡した時には吃驚《びっくり》した。最初私は牛込の地震がそれ程でないように思ったので、それがために起った火事もほんの一部分だと思っていた。ところが九段の坂上に立つと、そこから見渡す限りの何処も彼処《かしこ》も焼けているのだ。神田の通りは既に焼きつくされてしまって、広い焼野原だった。その向うは一面に炎々たる火なのだ。未《ま》だ三越《みつこし》(＊9)には火がついていなかった。がその周囲は全部火だった。その手前で内務省(＊10)らしい建物が丁度盛んに焼けていた。ニコライの塔(＊11)の尖端《せんたん》は、地震で落ちたのか火事で焼け落ちたのか、もう見えなかった。その向うの本郷の高台は真赤な焔《ほのお》を吐いていた。――私は丁度その日に出来上る「武者《むしゃ》小路《こうじ》実篤《さねあつ》全集」(＊12)第四回配本の製本の事を考えた。(私は友人と一緒に出版社を起して、そこで武者氏の全集を出しているのだ。) 製本屋が三崎町だから到底助かる筈《はず》はない。三崎町附近は既に焼きつくされてしまって、何ひとつ見えなかった。

「もう駄目です、もう駄目です」とひとりの警官が昂奮《こうふん》して叫んでいた。「警視庁は焼けてしまいました。今帝劇(＊13)が焼けています。水がないから手のつけようがありません。東京は全滅です、東京は全滅です!」

丁度そこに白い洋服を著《き》た髭《ひげ》の生えた男がやって来て、その警官に向って、「君、実に人生は悲惨だね」と不思議な抑揚をつけた声で云った。一寸《ちょっと》それが芝居がかっていたので、私は滑稽を感じて笑いかけた。が、その男が警官の前を直ぐ離れて、そして他の人の方へ行って、又「君、実に人生は悲惨だね」と同じ調子で繰返しているの

た和郎と知り合う。

＊7 **姉さん被り**
女性の手ぬぐいの被り方の一つ。手拭の中央を額に当て、左右を後頭部へ回し、角を上に折り返したり額のところに挟んだりする。

＊8 **靖国神社**
現在の東京都千代田区九段北、九段の坂上に位置する神社。境内に避難者が集まり、九月一三日にはバラック(避難者用の仮設住宅)の建設が始まった。

＊9 **三越**
現在の中央区日本橋に位置する百貨店。一日の夜には類焼し、建物内部が全焼する被害を受けている。

＊10 **内務省**
明治から戦前・戦中にかけて、地方行政や警察などを所管した中央行政官庁。震災によって類焼した。

＊11 **ニコライの塔**

を聞くと、「おや、この男は気が狂いかけているのか知ら」と云う気が私の頭に来た。私は出かかった笑いが消えて、しんみりした心持になった。狂気になる人間がどの位あるだろうと云う気がした。

「ネロ大帝の火(＊14)」と私のつれの一人が云った。片岡鉄兵《かたおかてっぺい》君(＊15)だったか長田重男《ながたしげお》君(＊16)だったか忘れた。がその二人のどっちかがそう云ったのだ。

坂の下の方から佐佐木茂索《ささきもさく》君(＊17)が、洋服を著た男と二人でやって来た。

「もう時事新報社(＊18)も駄目だ。今まで社にいたが、もう一時間もたたない中《うち》に燃えるだろう」と昂奮して云っていた。して見ると、銀座附近にも火が行っているのだ。私の頭の中には銀座から京橋、日本橋のあの大通の昨日までの有様がチラと浮んだ。それがみんな燃えているのだ。

「腹が空《へ》った。その辺で飯でも食おう」と云って佐佐木君はつれの男と一緒に行きかけた。

「今時、飯なんか食わせる悠長な家があるものか。もうみんな店を閉めているよ」と私は云った。「この煎餅を分けてやろう」

私は抱いている袋の中から、塩煎餅を摑《つか》み出して、彼の手に握らした。

ニコライ堂のこと。三六頁参照。

＊12 **「武者小路実篤全集」**
和郎は友人と芸術社を創立し、『武者小路実篤全集』の出版に携わっていた。この事業は失敗に終わり、多額の負債を抱えることとなる。

＊13 **帝劇**
帝国劇場のこと。五八頁参照。

＊14 **ネロ大帝の火**
ネロ大帝（三七〜六八）は、ローマ帝国の第五皇帝。暴君として知られ、ローマで起きた甚大な火災（いわゆるローマ大火）に際して、キリスト教徒への弾圧を加えた。狂人を出すほどの火災の激しさから連想された表現である。

＊15 **片岡鉄兵**
小説家。一八九四（明治二七）〜一九四四（昭和一九）。和郎と親交が深く、神楽館に下宿していた。

× × × ×

その時分は未だ暢気だった。東京もあのような悲惨な事になろうとは、未だ想像していなかった。それと震源地が江戸川上流と云う事に、鎌倉の家の事を安心していた。ところが、九段の上から再び神楽坂の方へ引っ返しかけると、神楽坂下の電信柱に「震源地、伊豆の大島附近」(＊19)と云う事が、中央気象台(＊20)の名によって貼り出されてあったのだ。

伊豆の大島附近とすると、その震源地は東京よりも鎌倉の方が余程近い事になる。――私の頭には鎌倉小町の古い自分の家が浮んで来た。父や母や妻の事が浮んで来た。今まで割合に暢気に構えていた心が、急に不安でいっぱいになって来た。

その晩は家《うち》に入ってはならない、と云うので、下宿中の者はその直ぐ近くの神社の境内にゴザを敷いて、避難していた。私達もそこのゴザの上に横になった。が、鎌倉に対する不安は益々《ますます》募って来た。

「厭だなあ。考えれば考える程、暗い気持になって来る」と長田君が云った。長田君の家《うち》はやはり鎌倉で、而《しか》も坂の下の直ぐ海べりなのだ。「僕はこれから行って見る」

「僕も一緒に行こう」と私は立上った。

丁度そこに真島《ましま》君が来合わせていた。真島君は私のところによく訪ねて来る青年で、牛込見附内の下宿に住んでいるのだが、歯科医学校から発した火事で、自分の下宿はも

＊16　**長田重男**
芸術社の幹部。鎌倉の旅館「海月」の息子。神楽館に下宿していた。

＊17　**佐佐木茂索**
小説家、編集者。一八九四（明治二七）～一九六六（昭和四一）。時事新報社に勤め、よく神楽館に立ち寄っていた。

＊18　**時事新報社**
福沢諭吉の手により創刊された日刊新聞「時事新報」を手掛けた出版社。

＊19　**震源地、伊豆の大島附近**
関東大震災の震源地は、相模湾北西部であったが、さまざまな説が出された。和郎は「震源地が江戸川上流」と聞いて安心したが、この情報によって鎌倉の家の状況に不安を抱く。

＊20　**中央気象台**
庁舎は大手町にあったが、九月二日に焼失した。現在の気象庁の前身。

う焼けたものと極《き》めていた。（後でその下宿が焼けなかった事が解ったが）――それで私達と一緒に鎌倉に出かける事になった。

そこで三人で、片岡鉄兵君だけを後に残して、私達は著《き》のみ著のままで出かけた。長田君は洋服に靴だったが、真島君と私とは浴衣《ゆかた》に薩摩下駄《さつまげた》（＊21）を穿《は》いていた。――その時はもう午後八時半か、或《あるい》は九時頃だったと思う。重要書類――と云っても、それは書きかけの原稿と、武者小路実篤全集の第五回配本の部の校正だが――を折鞄《おりかばん》の中に入れたのを、真島君が背中に背負って呉《く》れた。

その時には未だ汽車がないか知らなどと考えていた。汽車がなければ自動車ででも行けそうな気がしていた。が汽車などのあろう筈がなかった。せめて品川まででも自動車と考えたが、往来を右往左往する自動車はあっても、空いている車は一つもなかった。

濠《ほり》の裏手を通って、紀《き》の国坂《くにざか》（＊22）に出、それから豊川稲荷《とよかわいなり》（＊23）附近の親戚の家に見舞いに立寄って、そこから麻布の六本木、十番、三田《みた》通り、札《ふだ》の辻《つじ》と云うような道順を通って歩いて行った。火事は益々烈《はげ》しくなって行くばかりだった。砲兵工廠の火薬が爆発するのか、いろいろのタンク類が爆発するのか、ポンポンと云う恐ろしい音が引っきりなしに聞えていた。三田の電車道には家財道具を持出した群集が、咄嗟《とっさ》の間にも畳を敷いたり、天幕《テント》を張ったりして、応急の居所をこしらえていた。自動車と人間とが行ったり来たりする電車道の真中で赤ん坊を寝かしつけている母親などがあった。

私は品川の八ツ山（＊24）から品川の宿の方へ汽車道を横切るあの鉄橋の上から振返った東京

＊21　**薩摩下駄**
台の幅の広い、杉を用いて作られた男子用の下駄。下宿を出発した際には被害の甚大さを把握していなかったので、このように簡易的な格好であった。

＊22　**紀の国坂**
現在の港区と千代田区の境にある坂。徳川御三家の一つ、紀州徳川家の広大な屋敷が所在したことからこのように呼ばれた。

＊23　**豊川稲荷**
現在の港区元赤坂にある曹洞宗の寺院。愛知県豊川市にある豊川稲荷妙厳寺の別院にあたる。

＊24　**八ツ山**
現在の品川区の地名。七〇頁参照。

の火事の光景を忘れる事が出来ない。あすこからは実に東京全市が見える。愛宕山《あたごやま》(＊25)の蔭《かげ》に隠れて、山の手の或部分は見えないが、下町の方は一面に見渡される。本所、深川から日本橋、京橋、芝にかけた火の横断面はかなりの長さで、物悽いとも何とも云いようがない。真赤《まっか》な火焔《かえん》の上には真黒な煙が高く高く立昇って、その煙の尾は房総半島の方へ棚引いて行く。そして丁度火事の真上には、恐ろしいように大きな入道雲が、天に冲《ちゅう》して聳《そび》えている。この入道雲は昼間からあったが、夜になるとそれに火焔がうつって、とても素晴しい火の柱のように見える。――後で聞いた話だが、甲斐《かい》の猿橋《さるはし》(＊26)あたりから東京の火事は火の柱となって見えたそうだ。それも此《この》入道雲に火が映じたものに違いない。又東京から五十里離れた福島県の小名浜《おなはま》(＊27)(これが今度の震動区域の東北の最端だが)からも東京の火事が見えたと云う手紙が私の友人のところに来ている。

私達は橋の上に立って、茫然《ぼうぜん》としながら此の大火を暫《しばら》く眺めていた。丁度その頃あの火の中で、数万の人が焼死していたのだろうが、その時には、そんな想像などは少しも浮ばず、唯《ただ》火の猛威に呆《あき》れていた。

私はその前の晩「武者小路実篤全集」の校正をやっていて徹夜した。その校正中に(『友情』(＊28)と云う小説の一節だが)武者氏が「夜半《よわ》に嵐の吹かぬものかは」と云う言葉の代りに、「夜半に嵐の吹かぬ事あり」と云う言葉を主張しているのを、興味を以て読んだ。夜半に嵐の吹かぬものかは、と云って、人は慴えている必要はない。夜半に嵐の吹かぬ事もある。いや、嵐の吹かぬ夜を、現に我々は一千夜も三千夜も過して来ている。

＊25 **愛宕山**
現在の港区の北東部にある小丘。

＊26 **甲斐の猿橋**
現在の山梨県大月市猿橋町。東京都内からは直線距離で約九〇キロメートル離れている。

＊27 **福島県の小名浜**
現在の福島県いわき市の地名。和郎がいうように、東京都内からは約二百キロの距離がある。

＊28 **『友情』**
一九一九(大正八)年に発表された武者小路実篤の小説で、引用された一節は「三十一」に見える。

――こう云う主張である。氏の明るい楽天主義から、宿命的な厭世主義を攻撃しているその態度及び心持がはっきりしていて面白かった。――私はそれを思い出した。

それを読んだ直ぐ後なので、私は「これは余りに大きな嵐が吹いたもんだ。ほんとうに吹き過ぎたもんだ」と眼の前の大火を見ながら考えた。――もっともこの事は別に宿命的な厭世主義の論拠となるべきものでもなければ、武者氏の楽天主義を破壊すべき論拠となるべきものでもない。――夜半に嵐の吹く事があっても、それは何とも止むを得ない事であるだろう。――ただ私はそう云う校正をしながら徹夜して、そしてあの大地震で寝床から起され、此の大きな悲惨事を目撃したので、自然の皮肉に頬笑《ほほえ》まずにいられなかったのだ。何と云う意表外の、何と云うどえらい事を、自然は一瞬時の間《ま》にやってしまうのだろう。

品川の宿の入口でバナナを買った。此バナナと昼間の塩煎餅の残りとが、私達の鎌倉まで行く間の唯一の兵糧なのだ。

品川、大井、大森と進んで行くに従って、往来の亀裂がひどくなり、家々の崩壊がひどくなる。川崎に這入《はい》ると、全町の半分と云ってもいい位に崩壊家屋がある。――だがこう云う事を一々書いて行ってはキリがない。又こう云う事は人々はみんな新聞で既に読んでいられるだろうと思う。唯その間の印象をぽつぽつと拾って行けば、第一に、大森を通る時、東京の大火の真黒な煙の房総半島の方へ尾を引いて棚引いているその尾の間から、悽愴《せいそう》な月が出て来た事だ。この月の悽《すご》さも一生忘れられないだろう。あの晩は陰暦二十夜か二十一夜の月だったと思う。真黒な煙の中に橙色《だいだいいろ》――と云うと明るい感じがするが、暗赤色と云いたいくらいの月が、厭《いや》におちつき切って、静かに静かに昇って来た。その余りの静けさが悽かったのだ。――死の象徴、そう云った気がした。その位冷然とした厳かな月だった。「空には黒い鳥の羽叩《はばた》きが聞える」と空に向ってヨカナアン(*29)が手を挙げて恐ろしい事の予言でもしていそうな、そんなような象徴的な「死の月」だった。

何処《どこ》まで行って振返って見ても、東京の火事は物悽い。川崎の町に這入っても、未だ横浜の火事は空がほの明るくなっている程度にしか見えないのに、東京の火事は焔までがありありと見える。――あの東海道の往還は横浜の方から東京の方へ来る人、東京から横浜の方へ行く人で、陸続としているが、併《しか》し横浜の方から来る人が、擦れ違いざまに「横浜は全滅だ!」と口々に云って行くのを聞いても、私達には何だかそれが信じられなかった。その位、東京と横浜との中間から見た両市の火事は、比較にならなく東京の方が大きく見えたのだ。

灯のない川崎の町は、暗くて、崩壊した家屋が町の両側に並んでいて、侘《わび》しかった。その町を通り抜けようとする頃だった。後《うしろ》から一人の巡査が追って来た。そして、「今、横浜監獄の囚人に焼死者が出来たために、後の囚人全部を解放しました(*30)。今夜はあなた方の保護をしている余裕はありませんから、各自お気をつけ下さい」と云った。そう云うと巡査は直ぐに自転車を又走らせて、私達の前に歩いて行く人々に、その事を

***29 ヨカナアン**
アイルランド出身の劇作家・オスカー・ワイルドの戯曲『サロメ』に登場する囚われの預言者。

***30 囚人全部を解放しました**
横浜刑務所には震災当時一一三一人の受刑者がおり、このうち四八人が死亡、職員も三人が死亡している。建物の倒壊に加えて、震災当日夜には類焼によって敷地が燃え、二四時間以内に戻ってくるように指示したうえで受刑者を解放した。九月末日までに指示通り帰還した者は七八〇名であったという(神奈川県警察部編『大正大震火災誌』一九二六年)。

注意するために急いで行った。

これにはかなり脅かされた。横浜の監獄にはどの位の囚人がいるかは解らない。それが一時に解放されたとしたら、彼等は火の中でどっちに行くだろう。此の東海道の街道を此方《こっち》に向って来ないとも限らない。――それを聞くと、同じ方面に行く人々は、知らない人でも、自然と一団《ひとかたま》りに寄り集まるような傾向になった。私達と、前後して一人の洋服を著た身長《せい》の低い男が、黙々として先刻《さっき》から歩いていたが、その男は自然と私達の道づれになった。――丸の内の何処かのビルディング内に勤めている男とかで、家は神奈川の山の手だと云う。四十を越えた年配だった。

「家には子供ばかり五人だもんですから、どうしているだろうと思いまして」口の重い男で、それだけの事をぽつりぽつり云った。靴を手に持って、ぺちゃりべちゃりと麻裏《あさうら》草履《ぞうり》(＊31)の音を立てていた。――子供の事は非常に心配になりながらも、囚人解放は恐《こわ》かったと見えて神奈川に入ると、遠まわりしても私達について来た。

親切な沿道の人達は、ところどころに手桶を出して、道行く人の水を飲むままに委《まか》せていた。塩煎餅とバナナを食っては、喉《のど》が乾くと、その水を貰って飲んだ。

鶴見辺だった。やはりそう云うようにして水を飲んでいると横浜の方から来た一人の巨大な洋服男が、「水を貰います」と云いながら、私達の飲んでいる側に近づいて来た。それは中学時分の私の級友の徳川君だった。

「やあ」と云うと、

＊31　**麻裏草履**　平たく編んだ麻糸の組緒を裏に縫いつけた草履。

「やあ」と彼も云って「横浜は大変だぞ。僕は友達をたずねて行くと、直ぐ地震と火事に会ったのだ。死にかけている人間を、今まで助けていたが、とても自分があぶないので、命からがら逃げて来た。――横浜は全滅だよ。二十万や三十万は、あの分だと焼死んでいるよ」

二十万や三十万は焼け死んでいると云う噂《うわさ》は、その前から道行く人々がみんな云っているので、耳新しくなかったが、如何《いか》にも火の中をくぐって来たらしく、金時のように真赤になっている徳川君の顔付には、横浜の悲惨な有様の反映が読み取れる気がした。

「鎌倉はどうだろう?」と私は訊《き》いた。

「鎌倉?――鎌倉は無茶苦茶にひどいそうだよ。横浜に鎌倉から逃げて来た男があって、そう云っていたよ。地震と火事と津浪《つなみ》とで全滅だそうだよ」

鎌倉についての噂を聞いたのは、この時が初めてだった。私と長田君とはぎょっとした。私達は挨拶もそこそこにして又歩き出した。

× × × ×

新子安《しんこやす》に来ると、両側はすっかり焼け落ちて、街道はぺちゃんこに家も何もつぶれてしまっている、広い火の原の中を通るようになっていた。焼けている最中の物凄さはその辺には既に終って、何か簡単な、明るい気分が却《かえ》ってしていた。その辺から見ると、行手の横浜の大火が、もう眼前に迫って来ていた。鶴見あたりまでは、何かの爆発するポンポンと云う音は、東京の方から聞えて来たが、今度はそれが行手の横浜の方から聞えていた。前には横浜の大火、後には東京の大火、それがその辺からは何《いず》れ劣らずに見えた。——長田君の親戚が神奈川にあった。そこはその時には焼け残っていたので、（後で焼けたかどうか知らない）そこに寄って握り飯を貰《もら》って食べて、それから鉄道線路を伝わって、横浜を横断して、程《ほど》ヶ谷《や》（＊32）に出ようと云う予定で進んで行くと、その時火は横浜停車場附近を盛んに焼いているので、もう線路の上を通る事が出来なくなった。——「二十万の焼死」「三十万の焼死」「横浜全滅」と云う言葉は、道行く人々の誰《たれ》の口からも出ていた。（後でそんなに死んでいなかった事は解ったが、その時分人々がそう思ったのは無理もない。）そこで人に道を訊《たず》ねて、神奈川から山の方へ入って、程ヶ谷に下りる事にした。——その山の上まで行くと、又東京の火事が、七八里はなれた此処《ここ》から、直ぐそこのように、大きく手に取るように見えた。もう夜が明けかかっていた。山手にある家々は、みんな地震にも崩れずに立っていた。

「あなた方は程ヶ谷の方へいらっしゃるのですか？」

そう云って、品の好い、知識階級らしい顔付の男が、私達の側に近づいて来た。「それではそこまで道を御案内しましょう」

そう云って彼は先に立った。

「やあ、何とも彼《か》とも云われない始末です」と彼は自分の目撃した恐しさを語らずにい

＊32　**程ヶ谷**　現在の神奈川県横浜市保土ヶ谷区の地名。震災の被害が非常に大きかった地域で、一般家屋のほか紡績工場などの倒壊も起きた。

られない人の表情で語り出した。「私は学校教員です。丁度九月一日が始業式でしてな。私は弁当を――うどんを食べようと思っていた時に、あの地震です。直ぐ飛び出すと、一緒に校舎はつぶれました。生徒が四人だけ逃げそくなって、その下になりましたので、一生懸命三人まで救い出しましたが、四人目の片手がどうしても挾まれていて動かないのです。直ぐ火は迫って来る……」

「そんなに火が早かったのですか？」と私は訊いた。

「早いにもなんにも……」と彼は眼《め》を丸くして、「それは実際直ぐです。その生徒は『先生は早くお逃げなさい。自分で何とかしますから』と云いますが、どうかして助けようとしても、その挾まれた手が動きません。その中《うち》にとうとう火が来てしまいました。――生きながら焼かれて行くのを見ているのは、それは堪らないものです。私は胸が掻きむしられるようでした」

昇りつめた山は今度は下りになる。と丁度横浜の大火の後の海から、大きなまん丸い太陽が昇るところだった。非常に大きな、非常に真赤な太陽は、火事の火よりも尚明《なお》かった。――それが大都市の火焔と黒煙とを睥睨《へいげい》するように、悠々と上《のぼ》って来た。それは月のように神秘的な象徴ではなかった。こう云う悲惨な人間界を一方に見ながらも、やはりその荘厳に打たれずにいられないような、美しい、生々とした、壮大な太陽だった。――大森のあの物悽かった月の出と共に、私は此の横浜の大火の背後から昇った太陽を、生涯忘れる事は出来ないだろう。

× × × ×

いつか予定の紙数に達したが、これでは未だ鎌倉までは大分遠い。急ぐ事にする。

程ヶ谷の町は全町まる潰れと云っても好かった。街道を挟んだ家の屋根と屋根とが、両側から往来に倒れて、人々はその屋根の上を踏んで行かなければならなかった。

程ヶ谷から戸塚に行く間の峠の上り口に、素晴しい亀裂が出来ていた。その深さは人の丈《たけ》よりも余程深くて、中に水が溜っていた。亀裂の幅は五尺か一間近くあったろうと思う。横浜を逃げ出したらしい三人づれの外国人——二人が男で一人が女——が、ここで写真を撮っていた。女が亀裂の中の中段に立つと、一人の男が亀裂の側に立ち、それをもう一人の男が暢気な顔をして、パチンとカメラにおさめていた。此の外国人達は何処に行くのか知らないが、頗《すこぶ》る暢気で、途々《みちみち》口笛で何かのマアチを盛んに吹いていた。我々よりも足が早いので、先に行ったが、戸塚の停車場に行くと、彼等がそこのプラット・フォムに、一列になって陽気な顔をして昼寝していた。

それより前から、鎌倉の悲報は、人に聞けば聞く程だんだんひどくなって行くばかりだった。地震と火事と津浪とが、だんだんひどいものになって行った。或る者は長谷《はせ》の観音(＊33)を波が越えたような事を云った。長谷の観音を超えるような津浪だったら、鎌倉中は浪の底である。少し行って又向うから来た人に聞くと、観音の山の下まで浪が来たの

＊33 **長谷の観音**
神奈川県鎌倉市にある長谷寺のことで、十一面観音をまつる。山腹に位置するため、津波が観音を越えたという噂は和郎を驚かせた。

だと云う。観音の山の下までの浪なら、小町辺には来る筈《はず》がない。だから、私の家《うち》は津浪には無事だが、長田君の家は、直ぐ稲村《いなむら》ヶ崎《さき》の下の海辺だから、いずれにしても津浪を免れない。

「僕はもう歩くのが厭になった。」と長田君が云った。

「僕のところは迚《とて》も助からないから、行ったって無駄ですよ」

私の家も津浪は免れても、倒壊しているには極《きま》っている。――だんだん私も勇気がなくなって来る気がした。想像は悪い方へ、悪い方へと向って、一家の者の最悪の状態が眼の前に浮んで来ると、へんに暗涙《あんるい》が浮んで来たりする。そして又今頃暗涙が浮んで来るのは、何か悪い事の予覚《よかく》ではなかろうかと云うような気もして来る。

長田君と私とはすっかり元気がなくなってしまった。神楽坂から戸塚までは彼是《かれこれ》十二里以上あるだろう。一気に歩いたのだから、疲れている事も確かだが、併しへんに二人は元気がなくなって来た。その二人に始終元気をつけて呉《く》れたのは真島君だった。云うのを忘れたが、真島君は蒲田で溝に落ちて、胸を強く打ち、左の向う脛《むこずね》に、白く骨が見えるような深い負傷をしていた。それだのに始終私達に元気をつけながら、殆《ほとん》ど十五里の道を鎌倉まで歩き通したのだ。

戸塚と鎌倉山の内との中間にある或小学校で、かゆと茶を恵まれた事は、私達には嬉《うれ》しかった。若い二十一二の青年の教員が、私達の方へ駆けて来て、そして私達を学校の中に案内して呉れた。――蔭《かげ》ながら感謝している。

＊34 **建長寺**
現在の神奈川県鎌倉市にある禅宗の寺院。震災後避難所となっていた。

× × × ×

建長寺（＊34）に著《つ》いたのは、二日の午後だった。建長寺内には葛西善蔵《かさいぜんぞう》君（＊35）もいれば、川崎備《かわさきび》寛《かん》君（＊36）もいる。殊に川崎君は私の家に見舞いに行って呉れているに違いないから、鎌倉に入《い》る前に、建長寺に寄って、鎌倉の様子を訊こうと思っていた。いきなり鎌倉に入るのは恐ろし過ぎたのだ。

ところが、川崎君は境内にゴザを敷いて、夫婦ともその上に寝ていた。二人ともその住んでいた寺がつぶれて、背中を梁《はり》に打たれたのだ。――「よく脊骨《せぼね》が折れなかったものだ」と医者が云ったそうだ。そんな風だから鎌倉の事はまるで解らないと云った、葛西善蔵はやはりそのいる寺が潰れたが、お膳の上の卵の転がるのを見て、素早く外に飛び出して助かったと云う事を、川崎君が苦しそうに語った。

長田君はとても自分の家は駄目だと云って、そこのゴザの上に仰向けに横になったが、いつの間にか疲れが出て、そのまま眠ってしまった。

そこで、私は長田君と真島君とをそこに残して、ひとりで行って見る事にした。川崎君の弟が一緒について来て呉れた。足はもう実際に痛かった。が、気は急《せ》かれた。八幡（＊37）がつぶれているのを、下から見ながら行くと、八幡前の宿屋町は全部焼けている。だんかずら（＊38）の上を、これも東京か横浜から来たらしい一人の青年が、眼を泣きはらして歩い

＊35 **葛西善蔵** 小説家。一八八七（明治二〇）～一九二八（昭和三）。坪内逍遥に学ぶため早稲田大学英文科の聴講生をしていた折に、広津和郎と出会っている。一九一九（大正八）年一二月から、創作と療養のために建長寺の宝珠院で生活を送っていた。

＊36 **川崎備寛** 翻訳家。一八九一（明治二四）～一九六三（昭和三八）。神楽館に入っていたが、震災当時は鎌倉にいた。

＊37 **八幡** 現在の神奈川県鎌倉市にある鶴岡八幡宮のこと。震災によって八幡宮は倒壊し、八幡宮に続く若宮大路沿いにあった大きな旅館も火事で焼失した。

＊38 **だんかずら** 段葛。鶴岡八幡宮から由比ヶ浜へと通じる若宮大路の中央部の一段高くなっている道路部分の通称。

ている。家族の安否を気遣って来たところが、その不幸に出会ったのだろう。

小町は焼けた様子も津浪の来た様子もなかったので一寸《ちょっと》安心した。が、自分の家の門の中に入ると、思った通りに、家は滅茶苦茶に壊れて、ぴしゃんこになっていた。私は胸がいっぱいになった。急いで再び門のところに出ると、そこに貼札がしてあって「田中純君(*39)のところに避難仕り候。広津直人《なおと》(*40)」と書いてある。それを見て、父が助かったという事が直ぐ解ったが、併し「一同無事」と書いてない。母は地震にはへんに落付いている。だからどうなったか解らない。妻は二階によく上っている。若《も》し二階にいたら、これもどうなったか解らない。

私は痛い足を引きずって、三丁(*41)ばかりはなれた田中純君の家まで駆け出した。――そして自分の家の者が、父も母も妻も女中も犬も、総《すべ》てが助かっているのを見た時には、涙が出た。一家の者が全部家の下敷きになって、全部助かったと云う事を知った時には、何だか天佑《てんゆう》と云う気がした――

(鎌倉の事を細かに書きたいが、初めがへんに長くなってしまったので、ここで止める。
――長田君の家の人達も召仕《めしつか》いが二三人死んだだけでみんな助かった。――十三日)

*39 **田中純**
翻訳家。一八九〇(明治二三)~一九六六(昭和四一)。鎌倉の家が倒壊しなかったため、避難所として提供していた。

*40 **広津直人**
広津和郎の父、柳浪の本名。小説家。一八六一(文久元)~一九二八(昭和三)。肺を病み、一九一七(大正六)年頃鎌倉に転居した。

*41 **三丁**
約三三〇メートル。

鎌倉震災日記

「改造」第五巻第一〇号、大正一二年一〇月（改造社）

久米正雄

九月一日。

鎌倉に来てより早起の癖つき、朝八時頃起床。夜来より驟雨《しゅうう》時々到り、荒模様なり。是《これ》では今夏最終の土曜日も、浜の人出尠《すくな》かるべしと思いて、しよう事なしに机に向い、手紙など書き居たりしに、突如陰鬱《いんうつ》なる地鳴りと共に地震起り、家きしみ初《はじ》む。やや暫《しばら》くして止むべしと思いしに、更に激しくなりて、茶の間との間の襖《ふすま》、小生の方に向い倒れ来りしかば、直ちに躊躇《ちゅうちょ》せず屋外に飛出す。揺れ初めしより約一分時ならん。予が脱出したるは、附近にて第一番なり。続いて人々出ず。と、見る間に、第二の激しき上下動到り。目前に立ちいたる母屋鶴見貝細工店の文化住宅（＊1）、赤き瓦屋根を揺らつかせたるまま、海鼠壁《なまこかべ》（＊2）ばらばらと剝《は》ぎ落すと見る間に、街路に向って倒潰《とうかい》す。四囲の地鳴り、家々の欅《さし》みの中に、殊に倒落の音響を感ぜず。寧《むし》ろ活動写真（＊3）のセットを崩し、乃至《ないし》は小

久米正雄《くめまさお》（一八九一明治二四—一九五二昭和二七）小説家、劇作家。長野県小県《ちいさがた》郡上田町（現・上田市）に生まれる。小学校校長を勤めていた父が、火災によって校舎とともに御真影を焼失し、責任をとって自死する。一家は母方の実家がある福島県安積郡桑野村（現・郡山市）に転住。その後、福島県立安積中学校に入学し、卒業後は第一高等学校一部乙類英文科に入学。同級の芥川龍之介とともに夏目漱石の門下となるが、漱石没後に夏目家の長女、筆子に失恋し、出入り禁止となる。代表作に『学生時代』『破船』など。

＊1　**文化住宅**
都市の中流階級の住宅であり、洋風の外観をもつ和洋折衷住宅。大都市

児の組木の家を倒したる位にしか感ぜず。次で、其二階家に接したる低き母屋の日本家屋、戸と柱とをばらばらにほぐすようにして、見る見る家根《やね》を其間に沈落せしむ。見れば更に其《その》裏なる家は、潰《つぶ》れたる黄色の土蔵を背に負いて、半ばを其下に埋め居り、其上を越えて、家々に遮《さえ》ぎられたる展望、急に低く開け居るに驚く。

顧みれば吾が亜鉛《あえん》葺《ぶ》きの矮屋《わいおく》のみ、土台石の上にて上下左右、揺るるがままに揺《ゆ》られいて、別条なく、殆《ほと》んど傾きもせず。奇蹟とも天祐《てんゆう》とも云うべし。

予はそれより直ちに海嘯《つなみ》の襲来を恐れ、直ちに馳《は》せて、長谷《はせ》観音(＊4)の高台に登る。観音はやや傾きたるも、太柱ゆゆしく重き茅屋根を支えて、思わず感謝の祈願を籠《こ》めしむ。

直ちに左手、海を見晴らす覧台に至りたるに、傾き倒れたる家々を点在せしめたる。松や砂なる陸地の彼方《かなた》、海はと見渡せばこは如何《いか》に、常に波の打寄せ居る渚辺、予等が日夕潮浴に嬉戯《きぎ》し居たる渚辺より、遥に沖へ二三町、或いは四五町、半里も引きたらんかと思わるる程に、海水遠く隔たり居て、小坪《こつぼ》(＊5)が鼻《はな》と稲村《いなむら》ヶ崎《さき》とを連結する一直線あたりに、白く波頭を騒がし居るを見る。予は其所《そこ》に海藻か底岩かの黒斑を残して、残水静に天空を反映せる静寂の干潟《ひがた》を見たる時、至るべき大海嘯を思ひて、実に慄然《りつぜん》と息を呑《の》みぬ。即ち急を告げんと思いて、観音の鐘を撞《つ》かんと至り見れば、鐘も既に落ちてせんすべなし。下に何事も知らずに居る人々の危険を思い、吾が身の安全を思い、如何《いかん》せんと思い居る中にやがて予期したるより小さけれど、土用波(＊6)より二三倍もあらんかと思わるる波、白く波頭を嚙《か》みて、干潟を満たし来るを見て、やや安堵《あんど》の胸を撫《な》で下ろす。

郊外に多く建設された。

＊2　**海鼠壁**
四角い平瓦を張り、その目地に漆喰をかまぼこ形に盛り上げて塗った壁。土蔵などの外壁に用いる。

＊3　**活動写真**
映画の旧称。一七頁参照。

＊4　**長谷観音**
鎌倉の長谷寺。八九頁参照。

＊5　**小坪**
神奈川県逗子市の地名。久米は津波が予期したより小さかったと述べているが、津波は八メートルほどの高さと想定され、被害も大きかった。

＊6　**土用波**
夏の土用（立秋前の一八日間）ごろから、風がないにもかかわらず打ち寄せてくる高波。遠洋にある台風の影響で発生する。

されど、其海嘯も、鎌倉全土は没し尽さずとするも、材木座、由比ヶ浜、(＊7)長谷、坂の下(＊8)の海浜は、確に浸し去らるべきを思いて、材木座なる知人の家が気遣いなるまま、危険を冒《おか》して山を下る。

途中、海岸通りを行きたるに、一の鳥居前にて小野君に出会い隣りなる山階宮《やましなのみや》邸にて、妃殿下直ちに圧死され、(＊9)大妃殿下いまだ梁《はり》の下に居給うと聞き、災害のかかる雲上に迄《まで》及びたるを初めて知りて、いたく心おののきぬ。

至り見たるに、其知人の家は、瀟洒《しょうしゃ》を極めたる中二階、完膚《かんぷ》なく倒落せるのみにて、人命に別条なし。庭に附近の家にて、梁下に圧せられ居たる女中、救い出され来り居るを見る。太腿部《ふともも》に柱の喰《く》い込みたる痕《あと》、紫に凹《くぼ》み居たり。

暫《しば》らく其処《そこ》に居たるに、附近の倒潰家屋内に、まだ救出されざるものあるも、太梁を背に負い、起すを得ざる故、鋸《のこぎり》無きかと尋ね来るものあり。共に其家に至る。潰され居るは其家の若き妻君にて、嬰児《えいじ》を大切に下に抱きたるまま、其上にうつ俯《ぶ》しになり居るも、前後には動かし得ず、太梁は背の上半を圧して、しかも幸《さいわい》に其下に身を入るる空《くう》隙《げき》ありし為、生命には別条なく、「大丈夫か」と云えば、弱々しき声にて下より答う。壁土土片の中より、浴衣《ゆかた》を纏《まと》いたる腰部辛うじて見ゆ。人々其処叩《たた》きて、「もう直ぐですよ、」と元気をつけつつ、ようやく鋸にて梁を切断したり。又別な棟の下には、四歳位の女児入り居り、弱々しく泣き叫び居たるが、予も人々と共に屋根に穴を穿《うが》ち、無事に救出するを得たり。其子供、小暗き屋根の穴の中より、予が手に出《い》だされて、再び日

＊7　**材木座、由比ヶ浜**
いずれも神奈川県鎌倉市の海岸。明治期から海水浴場として栄えた。滑川《なめりがわ》を境にして、東側を材木座海岸、西側を由比ヶ浜と呼ぶ。

＊8　**坂の下**
神奈川県鎌倉市沿岸部の地名。極楽寺坂切通しの坂の下に位置することからこう呼ばれる。

＊9　**妃殿下直ちに圧死され**
旧皇族の山階宮家の別邸にて、山階宮武彦王《たけひこおう》の妃殿下の佐紀子が建屋の崩壊により圧死した。母である大妃殿下の好子は負傷しながらも助かった。

光の下に出でたる時は、既に泣きやみて、眼をぱちくりさせたるまま、喘《あえ》ぐが如《ごと》く口を動かして、云うべからざる再生の歓喜を無言の中に表わして、予に獅噛《しが》みつき来りぬ。僅かに救出の手助けしたるのみなれど、其時の予が心、誠に嬉《うれ》しき感動に満ちたり。直ちに彼らに濁りたる井水を与えたるに、こくりこくりと実に甘《うま》そうに飲みぬ。

それより田中純(＊10)が許《もと》に至りたるに、彼が家は幸にも、僅か傾きたるままにて、木立深く広き庭には、既に全潰の厄に会い、僅かの空隙より出で来りし広津柳浪《りゅうろう》(＊11)氏と其一家、及び附近の人々避難し居れり。

やがて、田中は二愛児を失いて、悲嘆に身も世もなげなる寺木夫人——もとの衣川孔雀《きぬがわくじゃく》(＊12)君を伴いて、帰り来るに会う。平生元気なるドクトル寺木、悲痛に力ぬけたるが如く、後より沈鬱ながら従容たる態度にて入り来る。慰むべき言葉だになし。丁度昼飯時にて、其二児は台所の石油焜炉《こんろ》の前に馳走の出来上るを待ちたるまま、上より潰され、直ちに火を浴びて、救出する暇さえ無かりしとか。

それより停車場前に出でたるに、其処《そこ》らの向い側は八幡前まで、既に一面の焦土となり、残焔赤く天日を焦がして、遠く源氏山の松の輪郭まで、茶色に霞みたるを見る。

小町園を見舞い居たるに、長谷の三橋より火出で、今長谷通りは悉く火中にありと聞き、吾家《わがや》も灰燼《かいじん》に帰し了《おわ》れるを覚悟して、急ぎ戻り見たるに全く再び奇蹟と云うべきか、火は隣りの母屋、裏の家まで燃え来りたるも、予が家の閾前《しきいまえ》数歩の所に止まりて、残焔を上げ居るのみ。直ちに井水ポンプを汲上げ、消防を手伝い、幸いに事なきを得たり。

＊10 田中純
九二頁参照。

＊11 広津柳浪
九二頁参照。

＊12 衣川孔雀
元女優。一八九六（明治二九）～一九八二（昭和五七）。スペイン公使館一等書記官の娘で、本名は牛円貞子。近代劇協会を発足させた上山草人《かみやまそうじん》に見いだされ、衣川孔雀の芸名を得る。後、泉鏡花の弟子である寺木定芳と結婚。関東大震災で寺木との間に生まれた二人の子を亡くしている。

避暑地生活の持物など、惜しからざるに、焼かざりし幸運を何と云うべきか。

既に薄暮。残《のこ》んの火焔いまだ凄《すご》く四辺《あたり》を照し、人影右往左往。再び小町の方に至り見れば、火焔の凄《すさ》まじき赤影、残れる路傍の老松を照して、鎌倉最後の日の感愈々《いよいよ》深し。人々は一の鳥居迄の松の間に、不安と悲哀とに相塊《あいかた》まりて、なす事もなく夜の帳《とばり》の落つるを待つのみ。……

其夕、横浜の方に当りて、煙焔《えんえん》半空を蔽うを見る。
○家(＊13)に至り、男手なきまま、護衛の役を勤めて、庭に畳を敷きたる上に、一夜を寝《い》もやらず明す。
海嘯、震後十二時間を経て、再び襲来の噂《うわさ》あり。既にかくなり果つる上は、死なば諸共と思い居たるも、深更、四辺に火影もなく、ただ遠く横浜、横須賀の空に赤き雲の反映を眺むる外、ひたすら海の潮騒《しおさい》の音に耳傾けて、今か今かと海嘯を気遣える不安は、頻発する余震の度にびくつく不安と相俟《あいま》ちて云うべからざるものなりき。

人々の中には、山に遁《のが》れて露営し居たるもの多しと聞く。

払暁《ふつぎょう》、潰れたる小町園より火出で、不安更に募る。


九月二日。

晴天。屋根なき庭中、明るみ初むると共に蚊帳《かや》を徹す。握飯を食う。

午前中、海嘯の不安いまだ去らず。今度は二十四時後、即《すなわ》ち其日の正午頃に、襲来す

＊13　○家
後に結婚する奥野艶子の家を指す。

べしとの説あり。十一時頃、沖に横須賀より駆逐艦着きて投錨《とうびょう》の号笛《ごうてき》を鳴らすや、それを海嘯襲来の警報と思い、或《ある》ものは犬の遠吠にて同じく襲来の前兆と感じ、周章《しゅうしょう》して鉄道線路の方、山の方に逃ぐる者あり。予等も、手回りの荷物を持上げしが、やがて虚報と分り落着く。

正午過ぐるも、海潮音平穏、海嘯の兆《きざし》更になし。人々安堵の胸を撫で下ろす。

午前、横須賀より、山を越えて帰り来りたる人あり。町々の倒壊、同じく甚だしく、死傷算なしと云う。初めて此の災害の一鎌倉のみならざるを知る。横須賀停車場を出て、少し行きたる崖下《がけした》に、丁度下り列車にて着きたる乗客と、それと五六分を隔てて発すべき上りに志す人々と、最も繁《しげ》く住来せる折柄、一時に断崖の崩れ来るに会いて、三四百人は埋没せりとの報あり。O家の知合にて、横須賀の女学校へ令嬢を始業式に出しやりたる某夫人、色を失いて心配す。

午後、東京より来れる報道、初めて聞え来る。皆惨害の激しきを説けど、まちまちなり。横浜の全滅は、既に確定的なれど、東京の様子は皆目信ぜられず。東京方面より来りし人と見れば、行人悉《ことごと》く是をとどめて、震火の模様を訊《たず》ぬ。

三時頃、田中の家に至りたるに、東京より広津和郎《かずお》(＊14)帰り来れるに会う。一日の夜、六七時に東京を発したるが、其時九段坂上より望みしに、既に市内は十数ヶ所より火焔立《たち》騰《のぼ》り、砲兵工廠《ほうへいこうしょう》、大学(＊15)も火に包まれたりと聞き、本郷五丁目の吾家も、最早灰燼に帰し居れるものと覚悟を定む。ただし、広津が宿泊し居たる牛込《うしごめ》の下宿が、地震の為に墜潰

＊14　**広津和郎**　七六頁参照。

＊15　**砲兵工廠、大学**　四〇頁、一二三頁参照。

せざる由《よし》を聞き、母（＊16）も、恐らくは梁下の鬼とならずに、火のみは何処《どこ》へか避け得たるならんと、一縷《いちる》の望《のぞみ》を抱きて、さのみ悲観せず。書生と女中と居りて、家中は母の心を残すべき財貨もなければ、身を以《もっ》て遁《のが》れたるならんと自ら慰む。

夕方、材木座の通りを歩き居たりしに、青年団（＊17）の人々の話を聞くともなく聞けば、、、、、、、、、、、、、、、行きたるが、伝え聞けば横浜にても、又横須賀にても地震と同時に、、、、、、、、、、、、、、、、、、、、、、、、、、、、、、、、その余類には非ずやなどと、鳩首《きゅうしゅ》評議せる所なり。其時はいまだ、、、、、、、、、、、、、さほど悪化せず、予もさほど恐怖を感ぜずに行きしに、大町の四辺にて、青年団員と巡査との話を聞けば、横浜方面の、、、、、、、、此上は最早警察力に限りある故、青年団初め自衛の外なく、、、、、、、、、、、、、、、、、、、、、、、、云い居るを聞き、愴惶《そうこう》として○家に取って返す。既に雀色時《すずめいろどき》（＊18）にて、行人の顔見定め難く、地震よりも海嘯よりも、一種妙なる不安胸中に漲る。、、、、、、、、、、、、、、、、鎌倉に拡《ひろ》がり、女ばかりなる○家へ、知らせ呉《く》るるもの三四名に及びぬ。

注意により、早く蠟燭《ろうそく》の火を滅して、ようやく雨戸を連ね立てたる仮小屋の中に寝るともなく蹲《うずくま》るのみ。

横須賀の方の火の手、山を劃《かぎ》りて空を焦す。後に聞けば重油タンクに火入り、火焔天に沖《ちゅう》し海上に燃えたるまま流出して、附近の艦船をも焼く勢《いきおい》なりしとか。蓄積するに五年の歳月を費し、八々艦隊（＊19）を三年間とか動かすに足りたる油量も、今は大自然の徹底的

＊16 **母**
久米の母親である幸子。当時本郷にあった久米の家に住んでいた。

＊17 **青年団**
地域の若者によって組織された自治的な団体。震災時には在郷軍人とともに復興や救助に携わる一方、朝鮮人に危害を加えることもあったとされている。この後の部分に続く伏せ字部分は、出版社である改造社による自己検閲と思われるが、久米の直筆原稿には朝鮮人に関する記述があったことが確認されている。

＊18 **雀色時**
空が雀色に薄暗くなった時分。夕暮れ時。

＊19 **八々艦隊**
旧日本軍の艦隊計画で、戦艦八隻、巡洋戦艦八隻を軸とする大艦隊の組織案。

軍縮に会いて、一滴も余さざるものか。

深夜、遠く叫声を聞く。いよいよと思いて、得物とてなきまま、留守なる長与善郎《ながよよしろう》君(*20)の家の道具とか聞く、一挺《いっちょう》の鉈《なた》をたよりに、耳を澄まして人声に聞き入る。されど何事もなし。後に聞けば材木座にては、ヽヽヽヽヽヽヽヽヽヽヽヽヽヽヽヽヽヽヽヽヽヽヽヽヽヽヽヽもありしとか。

九月三日。

東京の情報、ようやく諸所に至りたるも、みな概念的に山の手の残れると云うのみにて、詳しき事は勿論、報道いまだ区々《まちまち》として信ぜられず。但《ただ》し、本郷はと聞けば、大抵、大学が早く灰を失したる故或《あるい》は駄目なりと云う。心配なれど、途《みち》ヽヽヽ危険と、又、一日以来、屋根を飛び越え、飛び回りたる結果、膝頭を引違えて疼痛を覚え、十五里の道は覚束なし、母、生きていまさば心配するも甲斐なく、若《も》し死なば今更駆けつくるも甲斐なしと思い、不安ながら落着き居る事に決す。

此日より横須賀の海兵、続々入り来り、諸所を固めて甚だ心強し。

此日野々山君東京へ行くと聞き、母と、時事新報とに宛《あ》てたる手紙を依頼す。

夜、仮小屋生活の苦痛を和《やわ》らげんため、某酒店に至り、恐る恐る日本酒二合入りを二本手に入る。不安なる冷酒、実に腸に滲《し》みて、味永久に忘れ難かるべし。

＊20 **長与善郎** 小説家、劇作家。一八八八(明治二一)～一九六一(昭和三六)。白樺派の作家の一人。

＊21 **厨川白村** 英文学者、評論家。一八八〇(明治一三)～一九二三(大正一二)。京都帝国大学の教授として西洋文学を担当する。関東大震災で亡くなった唯一の著名な文学者といえる。

＊22 **蝶子夫人** 白村の妻である厨川蝶子。福地桜痴の娘である。雑誌「女性」誌上に、「悲しき追懐」と題するエッセイを執筆し、白村の死去の様子について書き留めている。

＊23 **大腸カタル** 下痢の症状を呈する大腸の炎症。蝶子の記録によると、白村は八月二日に鎌倉の別荘に移ってから、腸の出血が続いていた。

＊24 **京童**

予が、厨川白村《くりやがわはくそん》氏(＊21)の訃《ふ》を知りたるは、それより一両日後にして、実に偶然の事に属す。或時O家の女中、材木座の方へ使《つかい》に行きたる途中、一の葬式に出会いたるが、淋しき棺側に一人の切髪の美しき夫人附添いて、由緒ありげなる其様いたく心を惹《ひ》きたりしかば、傍人に其名を尋ねたるに、栗谷とか厨川とか云える有名な博士にて、内務省とかにて重き御用ありし人なりと聞き来り、まるで予に縁もゆかりもなき人の如く、家人に噂《うわさ》するを聞きぬ。其時予は直覚的に、直ちに白村氏が鎌倉に居住するを思い起し、其未亡人が猶《なお》滞在せりと云う、材木座の程遠からぬ植木屋に、蝶子夫人(＊22)を訪ねたり。夫人は眼《め》を泣き膨《は》らして、奥より出で来り、予が言葉少き弔問に答えたるが、白村氏は三十一日に、子供たちを京都に帰し、己は九月八日とか九日とかに、東京市社会局主催（?）の講演会に臨むため、猶鎌倉に残り居たるが、震災当日は、折悪しく両三日前よりの大腸カタル(＊23)にて、かの口善悪《くちさが》なき京童《きょうわらべ》(＊24)の所謂《いわゆる》「近代恋愛館」(＊25)の二階に、臥床《がしょう》し居たるを、地震と知るや直ちに夫人は駆け上りて、扶《たす》け下ろし共に戸外に出でんとしたる際、不自由なる足の運び(＊26)遅かりしが後ろより倒れ来りたる倒潰家屋に胸部を圧せられて、救出さるるには救出されたるも、医師の手当も行届かず、僅か一塊の氷を手に入れ、僅かずつ口中に嚙みて、二日生命を永《なが》えたるのみにて、三日カンフル注射の効もなく(＊27)逝《ゆ》きたりとか。臥床中、頭脳と言語は明晰にて、夫人に云い残せし事も数々あれど、幾度か書きかけて終らざる原稿の事を、死ぬまで心残りとせしと聞きし時、予は黯然《あんぜん》と涙ぐみぬ。

思えば、嘗《か》つて女性改造の講演会(＊28)に、共に壇上に立ちたるもの、先には有島氏(＊29)を失い、

京都に住む、無節操で口の悪い若者の俗称。

＊25 「近代恋愛館」 白村の鎌倉材木座にあった別荘。一九二二（大正一一）年に発表した『近代の恋愛観』の印税で建てられたためこのように呼ばれた。

＊26 不自由なる足の運び 白村は数年前、骨膜炎によって左脚を切断し、普段は義足を付けて生活していた。

＊27 カンフル注射の効もなく カンフル注射は、重病人の心臓のはたらきを強くするためにする注射。蝶子の記録によると、七本もの注射をしたが、効果がなく、白村は九月二日に亡くなった。

＊28 女性改造の講演会 一九二三（大正一二）年五月一三日に慶應義塾大学の大講堂で行われた、雑誌『女性改造』の主催する文芸講演会。久米、白村のほか、有島武郎《たけお》、

今また厨川氏を亡《うしな》う。非常の際弔する人もなきに、せめて予がいち早く聞知りて、兎《と》も角《かく》も哀悼の意を表し得たるは、因縁と云うべきか何と云うべきか。

蝶子夫人は序《ついで》もあらば、呉々も改造社の人々に宜しく伝え呉れよと云えり。附記して以ての天災記の末尾となす。

白村氏の霊も乞う諒せよ。

芥川龍之介、長谷川如是《にょぜ》閑《かん》が登壇している。

＊29　有島氏
小説家の有島武郎。一八七八（明治一一）～一九二三（大正一二）。人妻である波多野秋子と恋愛関係となり、一九二三年六月、軽井沢の別荘で心中死を遂げていた。

大震抄

『大正大震火災誌』〈山本美編〉大正一三年五月（改造社）

北原白秋

天意下る

世を挙《こぞ》り心傲《おど》ると歳久し天地《あめつち》の譴怒《いかり》（＊1）いたゞきにけり
地は震へ轟《とどろ》き亨《とほ》る生けらくやたちまち空《むな》しうちひしがれぬ
大御《おおみ》怒《いかり》避くるすべなしひれ伏して揺《ゆ》りのまにまにまかせてぞ居る
言挙げて世を警《いまし》むる国つ聖《ひじり》いま顕れよ天意下りぬ
大王《おほぎみ》は天《あま》の譴怒《いかり》と躬《み》自ら照らす御光《みかげ》も謙《を》しみたまへり
国民《くにたみ》のこのまがつび（＊2）は日の本し下忘れたる心ゆ来れり（＊3）
大正十二年九月ついたち国ことごと震亨《しんとほ》れりと後世《のちよ》警《いまし》め

北原白秋（一八八五〈明治一八〉―一九四二〈昭和一七〉）
詩人、歌人。熊本県玉名《たまな》郡関外目《せきほかめ》村（現・南関町《なんかんまち》）に生まれ、福岡県山《やま》門《と》郡沖端《おきのはた》村（現・柳川市）に育つ。本名隆吉。早稲田大学英文科予科に入学するが、中退。雑誌「明星」に詩や短歌を多数発表するが、脱退。その後、第一詩集『邪宗門』や第一歌集『桐の花』を刊行する。関東大震災時には神奈川県の小田原にある伝肇寺《でんじょうじ》に、「木菟《みみずく》の家」と呼ばれる家を建てて住んでいた。

＊1　**天地の譴怒**
当時支配的であった震災天譴論を踏まえた表現。天譴論は人知を超越する存在が人間社会に下した罰とみなす考え方。

この心を見よ

天地《あめつち》の震ふみぎりも花胡麻（＊4）の小《ち》さき営み昼闌《た》けむとす（＊5）

庭を観へつ

閑《しづ》かなる秋の日照れり阿芙蓉《あふよう》（＊6）の花紅《あか》うして震《ふる》ひつゞけつ

吾が宿の朝光《あさかげ》ごとに咲く花の芙蓉の盛り衰へにけり

この秋はいよいよあかるき葉鶏頭《かまつか》のみもとふたもと観てを過ぎなむ

我竹林に在り

夕《ゆふ》ごとに篁《たかむら》（＊7）ふかくはひる陽《ひ》の世にもかそかに澄みてこもりつ

吾がこもる竹の林の奥ぶかに茗荷の花も香ににほふらし

＊2　**まがつび**
禍津日の神。禍害・凶事などをひき起こすとされた。

＊3　**心ゆ来れり**
ここでは、驕《おご》った国民の心によって震災がもたらされたという意味。

＊4　**花胡麻**
ゴマの花のこと。晩夏に淡い紫色がかかった小さな釣鐘状の花をつける。

＊5　**昼闌けむとす**
真昼になろうとする。

＊6　**阿芙蓉**
ケシの異名。初秋にかけて花を咲かせる。

＊7　**篁**
竹やぶ。白秋は「木菟の家」に住んでいたが、震災により半壊し、付近の竹林で避難生活を送っていた。

全滅の箱根を奇蹟的に免《のが》れて〔手記〕

「大阪朝日新聞」大正一二年九月六日

谷崎潤一郎

私は八月二日からずっと箱根小涌谷の小涌谷《こわくだに》ホテル（＊1）に滞在していたが三十一日の晩に箱根町の芦《あし》の湖畔《こはん》にある箱根ホテル（＊2）へ遊びに行きそこに一と晩泊って翌一日の午前十一時半に出る乗合自動車（＊3）に乗って芦の湯を通り、約半里位も来た山路で地震に遭った。乗合は満員で約半数が西洋人だったが第一に西洋人が下ろしてくれ下ろしてくれと騒ぎ出した、何しろ山の左側は高い崖《がけ》で、そこから大きな石がゴロゴロ落ちてくるし右の方はやっぱり深い谷で自動車の通っている一本道が柔かい土でボロボロ壊れて見る見るうちに路がなくなってゆく。

運転手はここのところは危険だからとめられない、安全なところまで走ってゆくといってその烈《はげ》しい震動の中をドンドン一町程走らせた、走っている最中にも傍から路が崩れ

谷崎潤一郎《たにざきじゅんいちろう》（一八八六 明治一九—一九六五 昭和四〇）

小説家。東京日本橋区（現・中央区）蛎殻町《かきがら》生まれ。東京帝国大学英文科入学後、中退。小山内薫らと第二次「新思潮」を刊行し、「刺青」などを発表し、耽美派の新進作家として認められる。関東大震災時には箱根に滞在していたが、大阪へ出た後、船で東京へ帰り家族と再会、家族を伴って関西に移住した。その後、関西の風土や伝統的な古典に関心を寄せるようになる。代表作に『痴人の愛』『春琴抄』など。

＊1　**小涌谷ホテル**

神奈川県箱根町小涌谷にあったホテル。八月二七日には妻子を横浜の自宅へ送り帰し、谷崎だけが執筆のため小涌谷ホテルに滞在した。

ていった、今考えて見ると谷へ落ちなかったのが不思議な位だ。しかしやはり運転手の考えがよかったので走ったら直ぐあとへ大きな石が落ちて来た、それから崖の横の一寸《ちょっと》凹んだ平なところで車を止めそこで皆下りて日本人も西洋人もかたまっていた。老人などは震動のために立っていられないで地面にひれ伏しているのもあった。そこで私は三四回大きな揺り返しの済むのを待ちそれから小涌谷のホテルへ帰ろうとしたのだが道が壊れていてかえれないので間道を伝わったりしてやっとこさとホテルへ来た。来てみると小涌の警察分署はマッチの箱のように仰《あおむ》けさまに谷に落ちていたがその外の建物は外形だけはのこっていた、然《しか》し今にも崩れそうなのでみんな三河屋《みかわや》(＊4)の遊園地へ集っていた、人々は私の顔を見て「死んだと思った人間が帰って来た」といって悦《よろこ》んでくれた。

間もなく午後の三時頃になって遥に宮の下(＊5)の方から燃え上る火の煙が見えた、地震が揺ると同時に気候が全く一変した様で午前中は風があり少し霧雨が降っていたのに空がクッキリと青く晴れて風が全く死し実に物凄いほど静かであった、そして非常に暑かった。私ばかりでなく人々は皆恐怖というよりは船に酔ったような気持で頭がノボせて腹がへっていながら食欲がなかった、そんな気持でジッと火の煙を見ているうちに一旦消えたのがまた燃え上り夜になってからは山の向うがボーッと舞台装置の電気のように明かるかった、其光は寧《むし》ろ青味を帯びていて火事ではないように思われたのがそのうちに雲が出て来るとその雲だけが真赤にみえた、其夜晩《おそ》くなって小田原が大火(＊6)だということを聞

＊2 **箱根ホテル**
神奈川県箱根町の芦ノ湖畔にあったホテル。

＊3 **乗合自動車**
乗合バスのこと。

＊4 **三河屋**
三河屋旅館。神奈川県箱根町小涌谷にあった旅館。当時箱根にあった「遊園地」は小涌谷の北の強羅《ごうら》にあった強羅遊園地だが、三河屋にもそうした施設があったかは不明。

＊5 **宮の下**
神奈川県箱根町の地名。箱根山の中腹に位置し、箱根七湯の一つとしてにぎわった。

＊6 **小田原が大火**
現在の神奈川県小田原市。震源地が近かったため大きな被害を受け、家屋の倒壊のほか、大規模な火災や土砂災害にも見舞われた。

いた。

其の儘《まま》そこに野宿して翌《あく》る日の朝第一に気が付いたのは太陽が非常に真赤で日蝕の様に光が弱くジッと見つめても眩《まぶ》しくも何ともないことだった、それが如何《いか》にも天変地異という感じをおこさせ一層人心を不安にさせた、それから追々諸方の間道を伝わって逃げて来る人達の報告によって小涌谷はこれでも一番しあわせなんだということを知った。そして箱根の中だけでも地震のおこった時間に多少の相違があるのに気づいた、私が遭ったのは十二時十三分頃だのに宮の下辺の時計はみんな十二時五分位で止まっていたそうだ。

私は妻子を横浜へ二三日前にかえしたところなので心配でたまらず東へ行ってはとても食糧がなさそうだから神戸から船でゆくつもりで四日午前十時半横浜の同じ町内に住んでいるミス・マールマンと一緒に小涌谷を出て箱根を越え三島から沼津へ出て漸《ようよ》う汽車でやって来た。途中再び遭難の場所を通ってみたが助かったのは全く奇蹟で身の毛がよだった。

箱根ホテルの私が前夜泊った室などもまるでピチャンコに潰れていた、運がよかったと人々はいってくれるが妻子の事を考えると寧ろ横浜に一緒に居た方がよかったと思う。それを考えると涙が出て仕様がない、生きているにしろ死んでいるにしろ一日も速く家族の安否を知りたいと思うばかりだ。

私の覚え書

「女性」第四巻第五号、大正一二年一一月（プラトン社）

中條百合子

九月一日、私は福井県の良人《おっと》の郷里（*1）に居た。朝は、よく晴れた、むし暑い天気であった。九時頃から例によって二階と階下とに別れ、一区切り仕事をし、やや疲れを感じたので、ぼんやり窓から外の風景を眺めて居ると、いきなり家中が、ゆさゆさと大きく一二度揺れた。おや地震か、と思う間もなく、震動は急に力を増し、地面の下から衝《つ》きあげてはぐいぐい揺《ゆす》ぶるように、建物を軋《きし》ませて募って来る。

これは大きい、と思うと私は反射的に机の前から立上った。そして、皆《みな》の居る階下に行こうとし、階子《はしご》口《ぐち》まで来はしたが、揺れが劇《はげ》しいので、到底足を下《おろ》せたものではない。田舎の階子段は東京のと違い、ただ踏板をかけてあるばかりなので、此処《ここ》に下そうとするとグラグラと揺れ、後《うしろ》の隙間から滑り落ちそうで、どうにも思い切って降りられない。

私は、其儘《そのまま》其処《そこ》に立ち竦《すく》んで仕舞った。

中條百合子《ちゅうじょうゆりこ》

（一八九九 明治三二―一九五一 昭和二六）

小説家。東京市小石川区（現・文京区）原町に生まれる。本名ユリ。祖父は福島県の安積《あさか》開拓に心血を注いだ中條正恒であり、祖母が安積にいたため、百合子は毎年のように訪れた。東京女子高等師範学校附属高等学校卒業後、日本女子大学英文科予科に入学。安積の農村を舞台とした「貧しき人々の群」で文壇に知られ、大学を中退する。昭和のはじめにはソ連へと遊学し、宮本顕治と結婚して宮本姓を名乗る。戦時の弾圧を受けながら、プロレタリア作家として活躍する。代表作に『伸子』など。

＊1　良人の郷里

「良人」は荒木茂のこと。一九一九

階下では、良人が「大丈夫！　大丈夫！」と呼びながら、廊下を此方《こっち》に来る足音がする。私共は、階子の上と下とで、驚いた顔を見合わせた。が、まだ揺れはひどいので、彼が昇って来る訳にもゆかず、自分が降るわけにも行かない。ゆさゆさと来る毎《たび》に私は、恐ろしきを堪えて手を握りしめ、彼は、後の庭から空を見るようにしては、「大丈夫、大丈夫」を繰返す。揺り返しの間を見、私は、いそいで階子を降りた。居間のところへ来て見ると、丁度昼飯に集って居た家内じゅうの者が、皆、渋《しぶ》をふき込んだ廊下に出て立って居る。顔を見合わせても口を利くものはない。全身の注意を集注した様子で、凝《じ》っと揺れの鎮《しずま》るのを待って居る。階下に来て見て、始めて私は四辺《あたり》に異様な響《ひびき》が満ちて居るのに気がついた。樹木の多いせいか、大きなササラ（＊2）でもすり合わせるような、さっさっさっさっと云う無気味な戦《おのの》きが、津波のように遠くの方から寄せて来ると一緒に、ミシミシミシミシ柱を鳴して揺れて来る。

廊下に立ったまま、それでも大分落付いて私は、天井や壁を見廻した。床の間などには砂壁が少し落ちたらしいが、損所はない。その中《うち》、不図《ふと》、私の目は、机の上にある良人の懐中時計の上に落ちた。蓋《ふた》なしのその時計は、明るい正午の光線で金色の縁を輝やかせ乍《なが》ら、きっちり十二時三分過ぎを示して居る。（＊3）真白い面に鮮やかな黒字で書かれた数字や、短針長針が、狭い角度で互いに開《あ》いて居た形が、奇妙にはっきり印象に遺《のこ》った。驚いて、一寸《ちょっと》ぼんやりした揚句なので却《かえ》って時計の鮮明な文字が、特殊な感銘を与えたのだろう。

（大正八）年、アメリカのコロンビア大学の聴講生であった百合子は、同じ大学で古代イラン語を専攻していた荒木と知り合い、結婚する。のちに母の猛反対と夫との不和を経て、二四年に離婚。

＊2　ササラ
簓。民俗芸能で用いる楽器の一種。刻み目を入れた細い棒と先を細かく割って刷毛状にした竹を擦り合わせて音を出す。

＊3　きっちり十二時三分過ぎを示して居る
気象庁によれば、関東大震災における本震の発生時刻は一一時五八分で、百合子が後述する内容と適合する。本震後、一二時一分には伊豆大島付近を震源とするマグニチュード6・5、一二時三分には相模湾を震源とするマグニチュード7・3の大規模な余震があった。

知ろうともしなかった此時間の記憶は後になって、意外に興味ある話題になった。何故なら、東京であの大震は十一時五十八分に起ったと認められて居る。ところが当時大船のステーションの汽車の中に居、やっと倒れそうな体を足で踏張り支えて居た私の弟は、確に十二時十五分過頃《すぎ》始ったと云う。鎌倉から来た人々もその刻限に一致した。其《それ》故、私の見た時計に大した狂いのなかったことを信ずるなら、東京に近く、震源地に近い湘南地方の方が逆に遅れて、強く感じたと云うことになるのである。

その日は、一日、揺り返しが続き、私は二階と下とを往来して暮してしまった。一度おどかされたので、又強くなりはしまいかと、揺れると落付いて居られない。皆も、近年にない強震だと愕《おどろ》いた。けれども、真逆《まさか》東京にあれ程のことが起って居ようとは夢想するどころではなかった。何にしろ福井辺では七月の下旬に雨が降ったきり、九月一日まで、一箇月以上一度の驟雨《しゅうう》さえ見ないと云う乾きようであった。人々は農作物の為めに一雫《ひとしずく》の雨でもと待ち焦れて居る。二百十日(＊4)が翌日に迫って居たので、この地震は天候の変化する前触れとし、寧《むし》ろ歓迎した位なのであった。果して、午後四時頃から天気が変り、烈《はげ》しい東南風が吹き始めた。大粒な雨さえ、バラバラとかかって来る。夜になると、月のない闇空に、黒い入道雲が走り、白山《はくさん》山脈の彼方で、真赤な稲妻の閃《ひらめ》くのが見えた。

夜中《やちゅう》に、二度ばかり、可なり強い地震で眼を醒された。然《しか》し、愈々《いよいよ》夜が明けると、二百十日は案外平穏なことがわかった。前夜の烈風はやんで、しとしとと落付いた雨が降

＊4　**二百十日**
立春から数えて二百十日目にあたる日。台風襲来と稲の開花期が重なる時期であり、農家として天候に注意すべき日であった。

って居る。人々は、その雨の嬉《うれ》しさにすっかり昨日の地震のことなどは忘れた。彼等は楽しそうに納屋から蓑《みの》をとり出した。そして、露のたまった稲の葉を戦《そよ》がせ乍《なが》ら、田圃の水廻《みずまわ》りに出かける。夕方になると、その雨もあがった。

葡萄棚《ぶどうだな》の下に拵《こしら》えた私共《ども》の涼台に、すぐ薄縁《うすべり》の敷《し》けるほどの雨量しかなかった。其れにしても、久しぶりで雨あがりの爽やかさに触れたので、皆な活々《いきいき》とした。そして、涼台に集って雑談に耽《ふけ》って居ると八時頃、所用で福井市に出かけて居た家兄が、遽《あわただ》しい様子で帰って来た。私共の呑気《のんき》な「おかえりなさい」と云う挨拶に答えるなり、彼は息を切って、

「東京はえらいこっちゃ」

と云った。

私共がききかえす間もなく、

「一日に大地震があった後に大火災で、全滅だと云うこっちゃが」

彼は、立ったまま、持って来た号外を声高に読み始めた。この時初めて、私共は、前日の地震が東京からの余波であったことを知った。号外によれば、一日の十二時二分前、東京及び湘南地方に大地震があり、多くの家屋が倒壊すると同時に、四十八箇所から火を発し、警視庁、帝劇、三越《みつこし》、白木屋《しろきや》（＊5）、東京駅、帝国大学その他重要な建物全焼、宮《きゅう》城《じょう》（＊6）さえ今猶《な》お燃えつつある。丸の内、海上ビルディング（＊7）内だけでも死者数万人の見込み、東京市三分の二は全滅、加えて〇〇〇、〇〇〇〇〇が大挙して暴動を起し、爆弾を投

＊5　**警視庁、帝劇、三越、白木屋**
いずれも東京にあった主要な建物。震災による火災で焼失している。五八頁、七八頁参照。

＊6　**宮城**
現在の皇居のこと。実際には延焼することはなかった。

＊7　**丸の内、海上ビルディング**
前者は一九二三（大正一二）年、後者は一九一八（大正七）年に竣工している。いずれも震災で大きな被害を受けた。これらの建設には百合子の父である建築家の中條精一郎が関わっているので、目に留まったのだろう。

じて、全市を火の海と化しつつあると、報じてある。そのどさくさ紛れに、○○○○の噂《うわさ》さえ伝えられて居る。

余り突然の大事なので、喫驚《きっきょう》することさえ忘れて聞いて居た私は、「為めに全市に亘《わた》って戒厳令(＊8)を敷き」と云う文句を耳にすると、俄《にわ》かにぞっとするような恐怖を感じた。五つか六つの時、孫の薬とりに行った老婆が、電信柱に結びつけられ兵隊に剣付鉄砲(＊9)で刺殺されたと云う、日比谷の焼打ち(＊10)の時か何かの風聞を小耳に挟んで以来、戒厳令と云うことは、私に何とも云えない暗澹《あんたん》と惨虐さとを暗示するのだ。私は、一時に四方《あたり》の薄暗さと冷気が身にこたえる涼台の上で、堅唾《かたず》をのんで、報道を聞いた。どんな田舎の新聞でも、戒厳令を敷いたことまで誤報はしまい。そうすれば、どんなに軽く見積っても、昨日の十二時以後東京はその非常手段を必要とするだけ険悪な擾乱《じょうらん》にあることだけは確だ。

私の思いは、忽《たちま》ち父(＊11)の上に飛んだ。父の事務所は、丸の内の仲通りにある。時刻が時刻だから多忙な彼は、どんな処に居て、災害に遭ったか知れないのだ。心を落つけ欹《そばだ》てるようにし、何か魂を通りすぎる感じを摑《つか》もうとしたが、一向凶徴《きょうちょう》らしいときめきは生じない。次に、弟(＊12)はどうしたろうと思った。彼は夏休以前から病気で、恢復期《かいふくき》に向った為め、小田原か大磯、或は鎌倉に行って居たかもしれない。其等《それら》の地方は、この号外によれば津波で洗われ、村落の影さえ認め得ない程になって居るらしいのだ。けれども、是《これ》も、理性に訴えて考えて見た結果として感じる心配以上、鋭く心に迫るものがない。

＊8 **戒厳令**
非常時の防備のために一般行政権を制限する法令。震災発生当日の九月一日午後二時ごろの要請の後、翌二日正午に施行された。関東戒厳令司令部が設置され、兵員の兵器使用許可、警察や自警団に対する指示命令権が与えられた。

＊9 **剣付鉄砲**
先端に剣をつけた小銃。銃剣。

＊10 **日比谷の焼打ち**
一九〇五（明治三八）年九月五日、日比谷公園で開かれたポーツマス条約（日露戦争の講和条約）反対の国民大会に集まった民衆が暴徒化して警官と衝突、内相官邸や国民新聞社、警察署などを焼打ちした事件。暴動は翌日まで続き、戒厳令が敷かれて、軍隊が出動した。

＊11 **父**
建築家の中條精一郎。一八六八（慶応四）〜一九三六（昭和一一）。曾禰達蔵と曾禰中條建築事務所を開き、

私はこれで、二人は命に別条なかろうと云う確信に近いものを持ち得た。私と彼等二人との心の繋りは深くおろそかなものではない。万一彼等の生命に何事かあったのなら、昨夜、あんなのびやかな眠りは決して得なかったに違いない。

　ほんの瞬《またたき》をする間に此等《これら》のことを考え、安心すべき明かな理由のある他の家族のことを思い、少し、心が冷静になった。それにつれて、号外の全部に対し、半信半疑な心持になった。全市の交通、通信機関が途絶してしまった以上、内部の正確な報知を、容易に得られない訳だ。〇〇〇行方不明〇〇〇、〇〇〇〇と云う諸項が、特に疑いを生じさせた。丁度政界が動揺して居た（＊13）最中なので、余程誇大されて居るのではあるまいかとは、誰でも思うことだ。私は、

「少し大袈裟《おおげさ》ではないこと？　何だか、何処《どこ》まで本当にして好《い》いかわからないようだけれども」

　と云った。それは皆同意見であった。少し号外の調子がセンセーショナルすぎることを感じたのであった。然し、どっち道、全市の電灯、瓦斯《ガス》、水道が止ったと云う丈《だけ》でも一大事である。真暗な東京を考えるだけで、ふだんの東京を知って居るものは心は怯《おび》える。

　人々は、口々に、「此方《こちら》に来て居てよかった。運がよかった。まあ落付くまで居るがよい」と云われる。女のひとなどは、おろおろして、私の手を執る。けれども、私はまるであべこべの心持がした。それだけの恐ろしい目に会わなかったことを実に仕合わせ

東京海上ビルディング、日本郵船ビルディングなどを手掛けた。直後の「父の事務所」とは曾禰中條建築事務所のこと。

＊12　**弟**
中條国男。

＊13　**政界が動揺して居た**
一九二三（大正一二）年八月に、首相であった加藤友三郎が在任のまま死去し、内閣は総辞職していた。震災発生時には新内閣の組閣が終了しておらず、翌日の二日に海軍大将である山本権兵衛を首相とする内閣が発足する。

に有難くは思うが、万事が落付くまで、生れた東京の苦しみを余処《よそ》にのんべんだらりとしては居たくない。大丈夫だろうとは思いながらも、親同胞、友達のことを案じ、一刻も早く様子を見たい心持が、まるで通じないのが歯痒《はがゆ》く、やや不快にさえ感じた。

然し東海道線(*14)は不通になって居る。その混乱の裡《うち》に、用意なしには戻れない。入京は非常に困難らしいが、幸いなことに、私共は四日の午後に、何がなくとも、福井を出発する準備をして居た。米原《まいばら》から東京駅までの寝台券も取ってあった。それを信越線迂回《うかい》に代えて貰うことは出来よう。私共は、翌三日にそれ等の準備をし、予定通り四日に東京に向うことに定《き》めた。出発までは、出来るだけ落付いて、自分等の務めを続けると云う約束で。

三日の朝、早く起き、朝飯を終ると、私はわざわざ借りて来てある「大阪毎日(*15)」も見ず、二階にあがった。そして、机に向い、ペンをとり、仕かけの書きものを続けた。一晩寝て目を醒《さま》すと、昨夜は割合にはっきり安心のついて居た人々のことが、却って腹の底から不安になって来て居た。気分が、陰鬱《いんうつ》になった。どんな不運な機会で、私の愛する多くの人々が死んで居まいものでもない。会うまでは生死のほどもわからず、私としては、最も悪い場合に処しても我を失わない丈の考慮、覚悟は持って居なければならない。ふだんは、何となくぼやけ、人と人との感情問題等もそう切迫しては居ないが、左様な大事に面し、其れがどう展開して行くか。自分の運命の在り場所が、深い、宏《ひろ》い海の底を覗《のぞ》き桶《おけ》で見るように、私にわかった。遥かな東京の渾沌、燼灰《じんかい》、死のうとする

*14 **東海道線**
東京・神戸間の東海道本線を中心とした鉄道線路。西方の駅や線路での被害が大きく、全通復旧には約二ヶ月を要している。

*15 **「大阪毎日」**
「大阪毎日新聞」。一八八八（明治二一）年にこのタイトルを称したのち、一九一一（明治四四）年には「東京日日新聞」を合併し、商法上の支社とし、全国規模の大新聞となる。

人々の呻《うめ》きの間から、私は、何か巨大な不可抗の力を持ったものが犇々《ひしひし》と自分に迫って来るように感じた。その気持を、ぐっと堪《こら》えながら、自分のすべきことは忘れまいとするのは、努力であった。

　午後から良人は福井市に出、大宮までの切符と持って行くべき食糧の缶詰類を買い入れて来た。役場から、入京に必要だと云う身分証明書（*16）を貰《もら》った。そして、四日の午後四時五十七分、総《すべ》ての荷物を郷里に遺《のこ》しただ食糧だけを二人で背負う振り分けの荷に作って、福井を出発した。福井市の彼方此方《かなたこなた》では、当局者の所謂流言蜚語《いわゆるりゅうげんひご》が、実に熾《さか》んで、血腥《ちなまぐさ》い風が面《おもて》を払うようであった。もう二三十分で列車が出る時になっても、家兄は私の体を案じ、止《や》めることをすすめた。私は、半分冗談、半分本気で、

「大丈夫よ。私はちっとも可愛《かあゆ》くないから、これで髪をざんぎりにし、泥でも顔へぬれば、女だと思う者はないでしょう」

と、笑った。

　七時五分、金沢駅のプラットフォームに降ると、私は、異常な光景に目を瞬《みは》った。もう此処では、平常の服装をした人などは一人も居ない。男は脚絆に草鞋《わらじ》がけ、各自に重そうな荷と水筒を負い、塵《ちり》と汗とにまびれて居る。女の数はごく少く、それも髪を乱し、裾をからげ、年齢に拘《かかわ》らず平時の嬌態《きょうたい》などはさらりと忘れた真剣さである。武装を調えた第三十五聯隊《れんたい》（*17）の歩兵、大きな電線の束と道具袋を肩にかけた工夫の大群。乗客がいつもの数十倍立てこんだ上、皆な気が立った者ばかりだから、その混雑した有様は言葉に

*16　**身分証明書**
関東に親戚や知人が住む人の入京により鉄道機関が混乱し、九月三日の午後三時半には鉄道大臣から各鉄道事務所への乗客制限令が出されている（鉄道省編『国有鉄道震災誌』一九二七年）。これによれば、「公務を有する者」「自ら給養の途《みち》ある者」「震災地域に家族を有し（入京が）やむをえない者」に乗客を限り、特に後半二種の乗客に関しては警察署や役所の証明書によって切符を発売した。

*17　**第三十五聯隊**
旧陸軍の連隊の一つ。本部を石川県金沢付近に置いた。

つくせない。誰《たれ》も自分の足許《あしもと》をしっかり見て居るものなどはなく、又、押し押され、おちおち佇《たたず》んでも居られない。上野行の急行に乗込む時は、人間が夢中になって振り搾《しぼ》る腕力がどんな働《はたらき》をあらわすか、ひとと自分とで経験する好機会であったと云うほかない。

列車は人と貨物を満載し、膏汗《あぶらあせ》を滲《にじ》ませるむし暑さに包まれ乍ら、篠井《しののい》位までは、急行らしい快速力で走った。午前二時三時となり、段々信州の高原にさしかかると、停車する駅々の雰囲気が一つ毎に、緊張の度を増して来た。在郷軍人（*18）、消防夫、警官などの姿がちらつき手に手に提灯《ちょうちん》をかざして、警備して居る。福井を出発する時、前日頃、軽井沢で汽車爆破を企《くわだて》た暴徒が数十名捕えられ、数人は逃げたと云う噂があった。旅客は皆それを聞き知って居、中にはこと更「いよいよ危険区域に入りましたな」などと云う人さえある。

五日の暁方《あけがた》四時少し過ぎ列車が丁度軽井《かるい》沢《ざわ》から二つ手前の駅に着く前、一般の神経過敏をよく現した一つの事件が持ち上った。前から二つ目ばかりの窓際に居た一人の男がこの車の下に、何者かが隠れて居る。爆弾を持った〇〇に違いないと云い出したのであった。何にしろひどいこみようで、到底席などは動けないので、遠い洗面所その他はまるで役に立たない。その人は、窓から用を足したのだそうだ。そして、何心なくひょいと下を覗くと、確に人間の足が、いそいで引込んだのを認めた。自分ばかりではなく、もう一人の者も間違いなく見たと云うのである。

初め冗談だと思った皆も、其人が余り真剣なので、ひどく不安になり始めた。あの

*18 **在郷軍人**　一九頁参照。

駅々の警備の厳重なところを見れば、全くそんな事がないとは云われない。万一事実とすれば、此処に居る数十人が、命の瀬戸際にあると云うことになる。不安が募るにつれ、非常警報器を引けと云う者まで出た。駅の構内に入る為めに、列車が暫《しば》く野っぱらの真中で徐行し始めた時には、乗客は殆《ほと》ど総立ちになった。何か異様が起った。今こそ危いと云う感が一同の胸を貫き、じっと場席に居たたまれなくさせたのだ。

停車した追分《おいわけ》駅では、消防夫が、抜刀で、列車の下を捜索した。暫く見廻《みまわ》って、

「居ない。居ない」

と云う声が列車の内外でした。それで気が緩もうとすると、前方で、突然、

「居た！　居た！」

とけたたましい叫びが起った。次いで、ワーッと云う物凄い鬨声《ときのこえ》をあげ、何かを停車場の外へ追いかけ始めた。

観念し、恐ろしさを堪えて居た私は、その魂消《たまげ》たような「居た！　居た！」と云う絶叫《さけびごえ》を聞くと水でも浴びたように震えた。走って居る列車からは、逃げるにも逃げられない。この人で詰った車内で、自分だけどうすると云うことは勿論《もちろん》出来ないことだ。そんな事はあるまいと、可怖《こわ》い乍ら疑いを挟んで居た私は、この叫びで、一どきに面して居た危険の大きさを感じ、思わずぞっとしたのであった。ぼんやり地平線に卵色の光りはじめた黎明《れいめい》の空に、陰気に睡そうに茂って居た高原の灌木《かんぼく》、濁った、狭い提灯の灯かげに閃いた白刃の寒さ。目の前の堤にかけ登って、ずっと遠くの野を展望した一人の

消防夫の小作りな黒い影絵の印象を、恐らく私は生涯忘れないだろう。列車の下から追い出したのが何であったのか、それをどう始末したか、結着のつかないうちに、汽車は前進し始めた。

高崎（＊19）から、段々時間が不正確になり、遅延し始めた。軍隊の輸送、避難民の特別列車（＊20）の為め、私共の汽車は順ぐりあと廻しにされる。貨車、郵便車、屋根の上から機関車までとりついた避難民の様子は、見る者に真心からの同情を感じさせた。同時に、彼等が、平常思い切って出来ないことでも平気でやるほど女まで大胆になり、死を恐れない有様が、惨憺《さんたん》たる気持を与えた。一つとして、疲労で蒼ざめ形のくずれて居ない顔はないのに、気が立って居る故《せい》か、自暴自棄の故か、此方《こちら》の列車とすれ違うと、彼等は、声を揃えてわーっと熾《さか》んな鯨波《とき》をあげる。気の毒で、此方から応える声は一つもしなかった。

けれども、家の安否を気遣う人々は、東京から来た列車が近くに止ると、声の届くかぎり、先の模様を聞こうとする。

「貴方《あなた》は何方《どちら》からおいでです？」

「神田。」

「九段のところは皆やけましたか？」

「ああ駄目々々！　やけないところなし。」

又は、

「浅草は何処も遺りませんか？」

＊19　**高崎**
群馬県高崎市にある駅名。震災で東海道線が不通となっているため、信越方面のみならず、名古屋以西に向かおうとする避難者や名古屋以西からの入京者は高崎線・信越線を利用した。

＊20　**避難民の特別列車**
九月三日以降公式に鉄道の無賃乗車が認められ、関東にとどまることができない被災者たちは、開通した鉄道や船舶などによって地方へ避難した。

避難者の男は、黙って頭で、遺らないと云う意味を頷《うなず》く。

「上野は？」

今度は、低い、震える声で

「山下からステーションは駄目。」

猶、詳細を訊《き》こうとすると

「皆、焼けちまったよ。お前、ひどいのひどくないのって。──」

五十を越した労働者風のその男は、俄に顎《あご》を顫《ふる》わせ、遠目にも涙のわかる顔を、窓から引こめてしまう。

浦和、蕨《わらび》あたりからは、一旦《いったん》逃げのびた罹《り》災者《さいしゃ》が、焼跡始末に出て来る為、一日以来の東京の惨状は、口伝えに広まった。実に、想像以上の話だ。天災以外に、複雑な問題が引《ひき》からまって居るらしく、惨酷な○○の話を、災害に遭って死んだ者の他につけ足さないのはない。死者の多いことが皆を驚した。話によると、命がけで、不幸な人々の屍《しかばね》を見ないでは一町の道筋も歩けない程だ。経験のある人々は、哨兵《しょうへい》（＊21）に呼び止められた時の応答のしぶりを説明する。徒歩で行かなければならない各区への順路を教える。何にしても、夜歩くのは危険極ると云うのに、列車は延着する一方で東京を目前に見ながら日が暮てしまったので、皆の心配は、種々《いろいろ》な形であらわれた。知る知らないに拘らず、同じ方面に行く者は、組みになった。荷を自分だけで負い切れなく持って居る男は、自分の便宜を対手《あいて》に分け、荷負いかたがたの道伴《みちづ》れになって貰おうと勧誘する。

＊21 **哨兵** 見張りの兵士。

順当に行けば午前九時十五分に着くべき列車は十二時間延着で、午後九時過ぎ、やっと田端《たばた》まで来た。私共の列車が、始めて川口、赤羽間の鉄橋を通過した。その日から、大宮までであった終点が、幸い日暮里までのびたのであった。厳しい警戒の間を事なく家につき、背負った荷を下して、無事な父の顔を見たとき、私は、有難さに打れ、笑顔も出来なかった。父は、地震の卅分前、倒壊して多くの人を殺した丸の内の或る建物の中に居、危うく死とすれ違った。私は、鎌倉で、親密な叔母と一人の従弟《いとこ》が圧死したことを知った。まさかと思った帝国大学の図書館(*22)が消防も間に合わず焼け落ちてしまったのを知った。

段々彼方此方《かなたこなた》の焼跡を通り、私は、何とも云えない寥《さび》しい思いをした。自分の見なれた神田、京橋、日本橋の目貫きの町筋も、ああ一面の焼野原となっては、何処に何があったのかまるで判《わか》らない。災害前の東京の様子は、頭の中にはっきり、場所によっては看板の色まで活々と遺って居る。けれどもその場所に行っては、焙《あぶ》られて色の変わった基礎石の上から、あった昔の形を築きあげることすら覚束ない。狭い狭い横丁と思って居たところが、広々と見通しの利く坂道になって居る様などは、見る者に哀傷《あいしょう》をそそらずには居ない。心に少し余裕のあった故か、帰京して数日の間、私は、大仕掛な物質の壊滅に伴う、一種異様な精神の空虚を堪え難く感じた。

今まで在ったものが、もう無い、と云う心持は、建物だけに限らない。賑やかに雑誌新聞に聞えて居た思想の声、芸術の響き、精神活動の快活なざわめきが、すーいと煙の

＊22 帝国大学の図書館 一二三頁参照。

ように何処かに消えて仕舞ったと感じるのだ。今まで、自分の魂のよりどころとなって居た種々のことは、此場合、支えとなり切れない薄弱なものであったのか。真個《ほんとう》に地震と火事で倒され焼き尽されるものなのだろうか。

　数日経つうちに、私は、次第に違った心持になって来た。「死者をして死者を葬らしめよ」と云う心持である。焼けて滅びるものなら、思想と物質とにかかわらず、滅びよ。人間は、これ程の災厄を、愚な案山子《かかし》のように突立ったぎりでは通すまい。灰の中から、更に智慧《ちえ》を増し、経験によって鍛えられ、新たな生命を感じた活動が甦《よみがえ》るのだ。人間のはかなさを痛感したことさえ無駄にはならない。非常に際し、命と心の力をむき出しに見た者は、仮令《たとえ》暫《しばらく》の間でも、嘘《うそ》と下らない見栄は失った。分を知り、忍耐強くなり、自然の教えることに敏感になった私共は、大きな天の篩《ふるい》で、各自の心を篩《ふる》われたようなものではないだろうか。私は、会う殆ど全部の人が、何か、身についた新しい知識と謙《けん》遜《そん》な自分への警言を、今度の災害から受けて居るのを知った。この力は大きい。

　今度のことを、廃頽《はいたい》しかけた日本の文化に天が与えた痛棒であると云う風に説明する老人等の言葉は、そのまま私共に肯《うべな》われない或るものを持って居る。けれども、自然の打撃から痛められ乍らも、必ずその裡《うち》から人間生活に大切な何ものかを見出し、撓《たゆま》ず絶望せず潑溂《はつらつ》と精神の耀《かがや》く文明を進めて行こうとする人間の意欲の雄々しさは、その古風な言葉の裡にさえも尚《な》お認め得《う》る。多くの困難があり、苦痛があるにしろ、私共は、とかく姑息《こそく》になり勝ちな人間の意志を超えた力で、社会革新の地盤を与えられたことを、意味深い事実として知って居るのだ。

女性としての生活の上からも、本当に生活に必須なことと、そうでないこととの区別をはっきり知った丈で、あの当時は、一日が五年の教育に価した。余りけばけばしい装飾の遠慮、無力を一種の愛らしさとして居た怯懦《きょうだ》の消滅、自分の手と頭脳にだけ頼って、刻々変化する四囲の事情の中に生活を纏《まと》め計画する必要に迫られたことは、其時ぎりで失せる才覚以上のものを与えた。

種々の点から、今東京に居遺る大多数は希望を持った熱心に励まされて働いて居るが、昨夜のように大風が吹き豪雨でもあると、私はつい近くの、明治神宮外苑のバラックに(＊23)居る人々のことを思わずに居られなくなる。あれ程の男女の失業者はどうなるか。その家族のことに考え及ぶと、彼等の妻、子女の為めに、夫人で社会事業に携る人々の為《な》すべきことは少くないように思う。

＊23 **明治神宮外苑のバラック**
当時明治神宮外苑は工事中であったが、震災後工事が延期され、建設用の足場を撤去して被災者用のバラック（仮設住宅）が建設された。東京都編『都史資料集成　第6巻　別冊付録』（二〇〇五年）に収められた「非常災害情報　バラックニ関スル調査」（一九二三年）によれば、明治神宮外苑には九月一五日に起工されたバラック五三棟、一七五三室に一八八三世帯もの入居者がいたとされ、東京でも最大規模の避難所であった。しかし、雨漏りや配給物資の不足など、決して快適な環境ではなかった。

震災見舞〔日記〕

「新興」創刊号、大正一三年二月（新興社）

志賀直哉

九月一日、午後、電柱に貼られた号外(＊1)で関東地方の震害を知る。東海道汽車不通(＊2)とあるに、その朝特急で帰京の途についた父の上が気にかかる。列車へ電報をうつ為め、七条京都駅へ行く。

もう列車には居られますまい。案内所の人に云われ日暮れて粟田《あわた》(＊3)へ帰る。それ程の事とも思わず寝る。

翌朝《よくちょう》、家人に覚まされ、号外を見せられる。思いの外の惨害《さんがい》に驚く。麻布《あざぶ》(＊4)の家《うち》、心配になる。父の留守、女ばかり故一層気にかかる。

上京するにしても何《ど》の道から行けるか見当つかず。兎《と》も角《かく》、山科《やましな》のH君を電話で呼び、一緒に行く事にする。箱根に避暑中の人を気遣い焦慮《いらだ》っているK君に電話で相談すると、鉄道は何の道も駄目と云う返事で、不得止《やむをえず》、神戸から船という事に決める。

志賀直哉（一八八三 明治一六—一九七一 昭和四六）

小説家。宮城県牡鹿《おしか》郡石巻《いしのまき》町（現・石巻市）に生まれる。父である直温《なおはる》はもと銀行員であったが、直哉の生後ほどなくして実業家に転身し、長く対立していた。学習院高等科卒業後、東京帝国大学英文科に入学、のちに中退する。雑誌「白樺」の創刊に携わり、白樺派の代表的作家として活躍した。代表作に「城の崎にて」『暗夜行路』など。

＊1　**電柱に貼られた号外**

当時直哉は京都に住んでいた。京都市の揺れは震度2程度であったようで、揺れを感じていなかった。「それ程の事とも思わず寝る」とあることから、この時点の号外では被害状況の把握はできなかったのであろう。

日曜で銀行の金とれず、(＊5)S君とN君に借りる。
信越線廻《ま》わりで川口町まで汽車通ずる由、(＊6)H君聴いて来る。H君は一度山科へ帰り、途中の食料を用意し、停車場《ていしゃば》で再び落ち合う事にして別れる。

病床妻、所謂前厄《いわゆるまえやく》と云う自分の年を心配し、切《しき》りにかれこれ云う。大丈夫々々と自分は繰返す。

T君に送られ、三時何分の列車にてたつ、客車の内、込まず、平日と変りなし。窓外の風物如何《いか》にも平和。瀬田《せた》の鉄橋を渡る時、下に五六人の子供、半身水に浸《つか》って魚漁《うおと》りをしていた。

伊吹山《いぶきやま》。

やがて名古屋に着く。名古屋に来り初めて幾らか震災の余波を見るように思う。停車場は一杯の人だった。

父が来る時泊った志那忠《しなちゅう》支店(＊7)により、消息を訊《たず》ねたが、帰りは来ぬと云う。

八時四十分、臨時川口町直行と云うに乗る。旧式な三等車の窓際に陣取れたが、後から後から乗って来る人で箱は直ぐ一杯になった。皆東京へ行く人だ。名古屋を中央線で出端《ではず》れようとする辺に新式な公園があり、其所《そこ》の音楽堂のイルミネーションが此《この》場合何となく気持に適《そぐ》わなかった。

短いトンネルを幾つとなく抜け、木曽川について登る。

塩尻《しおじり》でも　松本でも、篠《しの》ノ井《い》でも、下車して次の列車を待って呉《く》れと云われる。然《しか》し

＊2　**東海道汽車不通**
東京・神戸間を結ぶ東海道本線を中心として運行する汽車。一一四頁参照。

＊3　**粟田**
京都市上京区粟田口三条坊町。直哉は一九二三（大正一二）年三月に、千葉県我孫子から粟田口に転居している。

＊4　**麻布**
東京市麻布区（現・港区）三河台。直哉の父・直温の屋敷があった。

＊5　**日曜で銀行の金とれず**
震災発生当日である九月一日は土曜日であるため、翌二日は日曜日であり、銀行が営業していなかった。

＊6　**信越線廻わりで川口町まで汽車通ずる**
川口町は現在の埼玉県川口市。信越線は信越本線を中心とした鉄道路線で、不通であった東海道線の代わりに、避難者や入京者が多く利用した。

乗客達は直行を引返えさす法はないと承知しなかった。その度、長い間、愚図々々と待たした揚句《あげく》、汽車はいやいやそうに又進んで行く。

篠ノ井では信越線の定期を待つ人々が歩廊《プラットホーム》に溢《あふ》れて居た。歩廊には反対側から乗込もうとする人々が線路に沢山立って居る。

何の停車場でももう食物を手に入れる事は困難になって居た。H君は篠ノ井で汽車の停《とま》って居る間に町へ行き、出来るだけ食料品を買込んで来た。自分の為めに蕎麦《そば》を丼ごと買って来て呉れた。

車中の人々は皆幾らか亢奮《こうふん》して居るが、その割りには何所《どこ》か未《ま》だ呑気《のんき》な空気が漾《ただよ》っていた。もう皆灰になって居るでしょう、火葬の世話がなくていい、こんな事を云う人にも本当に打砕かれた不安な気持は見えなかった。

自分としても、麻布の家、叔父の家、その他親類友達の家を考えて、何という事なし、何《いず》れも無事と云う気がし、それより嘸《さ》ぞ驚いた事だろうと思う方が強かった。

三十一日、妻と子供二人を残して来たと云う若い人が、家は深川の海に近く、地震、火事、津波、こう重なっては希望の持ちようがないと、眼をうるませ、青い顔をしていた。直ぐ遠く立退《たちの》いて呉れればいいが、あの辺をうろうろしてたんじゃあ迚《とて》も助りっこありません、と云っていた。此人の不安から押しつぶされて行く気持が変に立体的に自分の胸に来た。

こう云う場合、現場《げんじょう》に近づき確かな情報を得るに従い、事実は新聞記事より小さいの

＊7 **志那忠支店**
名古屋駅の駅前にあった洋風旅館。

が普通だのに、今度ばかりは反対だ、それが不安でかなわぬと云う人があった。

汽車は停って二時間余りになるが却々《なかなか》出そうにない。吾々は京都を出て一昼夜になる。やがて信越線の定期が着いたが、客車は既に一杯以上の人だった。五六百人の人々はそのまま歩廊に立尽くさねばならぬ。間もなく定期よりも先に吾々の列車が動きだした。此方《こっち》の乗客達は歓声を挙げ、手を拍《う》って騒いだ。

信州の高原には秋草が咲乱れていた。沓掛《くつかけ》辺の別荘の門前で赤いでんち(＊8)を着た五つ六つのお嬢さんが霧の中に三輪車を止め、吾々の汽車を見送って居た。

客車の中は騒がしかった。窓から入って来た男と其所にいた東京者とが喧嘩《けんか》を始め、東京者が「何いやあがるんだ、百姓」と云ったのが失敗で、他《ほか》の連中まで腹を立て大騒ぎになった。

軽井《かるい》沢《ざわ》、日の暮れ。駅では乗客に氷の接待をしていた。東京では鮮人が爆弾を持って暴れ廻っているというような噂《うわさ》を聞く。が自分は信じなかった。

松井田で、兵隊二三人に弥次馬十人余りで一人の鮮人を追いかけるのを見た。「殺した」直ぐ引返えして来た一人が車窓の下でこんなにいったが、余りに簡単過ぎた。今もそれは半信半疑だ。

高崎では一体の空気が甚《ひど》く嶮《けわ》しく、朝鮮人を七八人連れて行くのを見る。救護の人々活動す。すれ違いの汽車は避難の人々で一杯。屋根まで居る。

駅毎高張提灯《たかはりぢょうちん》(＊9)をたて、青年団(＊10)、在郷軍人(＊11)などいう連中救護につとむ。

＊8 **でんち** 殿中羽織。木綿の袖なし羽織で、ちゃんちゃんこ、でんちばおりともいう。

＊9 **高張提灯** 竿などの先にとりつけて、高く掲げるようにした提灯。

＊10 **青年団** 九九頁参照。

＊11 **在郷軍人** 一九頁参照。

汽車での第二夜、腰掛けたっきりで可成《かな》り疲れている。飯を得られずビスケットとチーズでしのぐ。

大宮。歩廊に荷を積み一家一団となっている連中多し。それだけの人数と荷物では込み合うて汽車に乗り込めないのだろう。

四日午前二時半漸《ようや》く川口駅着。夜警の町を行く。所々に倒れた家を見る。

H君の家に女中に来て居たと云う人の家に寄る。その女、魚河岸《うおがし》にいて、火の為め彼方此方《あっち》に追われ、前夜漸く此川口町に帰る事が出来たと云う。兄なる人、妹を探す為め町々を歩き市中の様子に精《くわ》しく、此人の口から二人の家の無事を聞き安堵する。

吾々が庭に椅子で久しぶりの茶を飲み、左《そ》う云う話を聴いていると近所の老婆来て、今晩又大きな地震ある由、切りに云う。兄なる人五月蠅《うるさ》そうにし、相手にならず。

此所《ここ》を出て、堤を越え、舟橋にて荒川を渡る(＊12)。其辺地面に亀裂あり、行く人逃れ出る人、往来賑《にぎわ》う。男のなりは色々だが、女は一様に束ね髪に手拭を被り、裾を端折《はしょ》り、足袋裸足《たびはだし》。時々頭に繃帯《ほうたい》を巻いた人を見る。

赤羽《あかばね》駅も一杯の人だった。駅前の大きなテントには疲れ切った人々が荷に倚《よ》って寝て居た。自分もきたない物の落ち散った歩廊に長々となる。何時《いつ》か眠る。

H君に起こされ、急いで日暮里《にっぽり》行きの列車に、窓から乗込む。

入谷《いりや》から逃れ、又荷を取りに帰ると云う六十ばかりの女と話す。火にあおられ、漸く逃れ、井戸を見つけて飲もうとすると、毒を投込んだ者があるから飲めぬと云われた時

＊12 **舟橋にて荒川を渡る**
舟橋は、多くの舟を浮かべて上に板を張り、通行できるようにした橋。荒川は埼玉、東京を流れる川で、川口駅から南に向かって荒川を渡ると赤羽駅に着く。震災で橋が落ちたりした場合、臨時に舟橋が架けられた。

は本統《ほんとう》に情けない気がした、など云う。

汽車の沿道には焼けたトタン板を屋根にした避難小屋が軒を並べていた。田端《たばた》あたりの貨車客車にいる家族もある。

日暮里下車。少し線路を歩き、或る所から谷中《やなか》へ入る。往来の塀という塀に立退先《たちのきさき》、探ね人の貼紙(＊13)が一杯に貼ってある。所々に関所をかまえ、通行人の監視をしている。日本刀をさした者、錆刀《さびがたな》のまま引きずって行く者等あり。何となく殺気立っていた。

谷中天王寺の塔(＊14)がビクともせず立っている。露伴《ろはん》作、『五重塔』(＊15)という小説が此塔の事を書いたものではなかったかというような事を思い、見上げながら過ぎる。

上野公園(＊16)は避難の人々で一杯だった。上野の森に火がつき避難民全滅というような噂を高崎辺で聴いたが嘘だった。避難小屋の間を抜けて行くとすえ臭《くさ》い変な匂いがした。交番の傍《そば》に人だかりがしている。人の肩越しに覗《のぞ》くと幾つかの死体が並べてあり、自分は女の萎《しな》びた乳房だけをチラリと見てやめる。

三宜《さんぎ》亭《てい》(＊17)という掛茶屋の近くにある、あの大きな欅《けやき》の洞《ほら》が未だ弱々しく燃えていた。烟《けむり》と共に小さい火の粉と細かい灰を時々吹き上げていた。

山から見た市中は聴いていた通り一面の焼野原だった。見渡すかぎり焼跡である。自分はそれを眺める事で心に強いショックを受けるよりも、何となく洞《うつ》ろな気持で只《ただ》ぼんやりと眺めて居た。酸鼻《さんび》の極《きわみ》、そんな感じは来なかった。焼けつつある最中、眼の前に死人の山を築くのを見たら知らない。然しそれにしろ、恐らく人の神経は不断とは変っ

＊13　**立退先、探ね人の貼紙**　震災後、肉親や知人の安否を尋ねる貼り紙が多く貼りだされた。同様に、自分を尋ねてきた親類知人に避難先（立退先）を知らせる貼り紙もあった。

＊14　**谷中天王寺の塔**　谷中にある天王寺境内に立っていた塔。後述する幸田露伴の小説に登場する谷中感応寺の五重塔のモデル。一九五七（昭和三二）年に、放火によって焼失。一九頁参照。

＊15　**露伴作、『五重塔』**　幸田露伴の短編小説。一八九一（明治二四）年から翌年にかけて、新聞「国会」に連載された。小説の結末では、大工の十兵衛が完成させた五重塔が暴風雨に見舞われるも、微動だにしなかったというくだりがある。直哉が連想したのはこの結末であろう。

＊16　**上野公園**　一三頁参照。

て了《しま》っているに違いない。それでなければやりきれる事ではないと自分は後で思った。それが神経の安全弁だと思った。此安全弁なしに不断の感じ方で、真正目《まとも》に感じたら、人間は気違いになるだろう。入りきれない水を無理に袋に入れようとするようなものだ。袋は破裂しないわけに行かぬ。安全弁があり、それから溢れるので袋は破れず、人は気違いにならずに済む。

　自分はそれからも悲惨な話を幾つとなく聴いた。どれもこれも同じように悲惨なものだ。どの一つを取っても堪《たま》らない話ばかりだ。が、仕舞《しま》いにはそういう話を自分は聞こうとしなくなった。傍でそう云う話をしていても聞く気がしない。そして只変に暗い淋しい気持が残った。

　自分は一体方丈記（＊18）をそう好かない。余りに安易に無常を感じているような所が不服だった。人の一生にはそれだけの事は最初から計算に入れていていい。その心用意なしには生きられないのが現世で、その現世をありのままに受け入れるのが吾々の生活であると、こんな風に思っていた。勿論人間の意志の加わった不幸、人間の意志で避けられる不幸はありのままに受け入れる事は出来ないが。

　然し自分は今度震災地を見て帰り、その後今日《こんにち》まで変に気分沈み、心の調子とれず。否応《いやおう》なしに多少方丈記的な気持に曳《ひ》き入れられるのを感じた。

　広小路《ひろこうじ》（＊19）の今は無いいとう松坂《まつざか》（＊20）の角《かど》で本郷へ行くH君に別れ、電車路をたどって行く。焼けて骨だけになった電車、焼錆《やけさび》て垂れ下がった針金、その下をくぐって行く。「松の

＊17　**三宜亭**
上野公園の摺鉢山付近にあった茶邸。当時の記録を見ると、「先年三宜亭の火災に類焼し、更に今度の大震災に因つて焼け折れた擂鉢山傍の欅は目通幹囲二丈に達して居た」（東京市公園課編『東京の史蹟』一九二五年）とあり、直哉が見た欅の大木も有名であったと思われる。

＊18　**方丈記**
鴨長明によって書かれた、鎌倉時代前期の随筆。仏教的な無常観を背景に、特に前半では作者の体験した、天変地異の続く平安末期の混乱を描く。

＊19　**広小路**
上野広小路。寛永寺正面入り口の黒門前に作られた大通り。

＊20　**いとう松坂**
名古屋を本店とする百貨店、松坂屋いとう呉服店（現・松坂屋）の上野店。震災によって全焼するが、一ヶ月後には仮営業を始めている。

みどり」(＊21)と云う名代の化粧油を売る老舗《しにせ》の壊れた倉の中で鞴《ふいご》で吹かれた火のように油が燃えていた。然しそれを見ている人はなかった。

黒門町《くろもんちょう》(＊22)、万世橋《まんせいばし》(＊23)、須田町《すだちょう》(＊24)。此所の焼けて惜しくない銅像は貼紙だらけの台石を踏まえ反《そ》りかえって居た。

駿河台《するがだい》(＊25)と云う高台を自身の足元から、ずっとスロープで眺めるのは不思議な感じがした。

ニコライ堂(＊26)は塔が倒れ、あのいい色をした屋根のお椀がなくなって居た。

神田橋《かんだばし》はくの字なりに垂れ下がって渡れない。傍の水道を包んだ木管の橋を用心しいしい渡る。

二昼夜の旅と空腹で自分は可成り疲れている。所々で休み、魔法壜《まほうびん》の湯を呑《の》む。

そして大手町《おおてまち》で積まれた電車のレールに腰かけ休んでいる時だった。丁度自分の前で自転車で来た若者と刺子《さしこ》(＊27)を着た若者とが落ち合った。二人は友達らしかった。

「――叔父の家《いえ》で、俺が必死の働きをして焼かなかったのがある――」刺子の若者が得意気にいった。「――鮮人が裏へ廻わったてんで、直ぐ日本刀を持って追いかけると、それが鮮人でねえんだ」刺子の若者は自分に気を兼ね一寸《ちょっと》此方を見、言葉を切ったが、直ぐ続けた。「然しこう云う時でもなけりゃあ、人間は斬れねえと思ったから、到頭やっちゃったよ」二人は笑っていた。ひどい奴だとは思ったが、不断そう思うよりは自分も気楽な気持でいた。

＊21 **「松のみどり」** 一九〇七（明治四〇）年に開催された東京勧業博覧会に出品された品目の中に「髪洗粉　松のみどり」があり、出品者が浅草高原町に住む英喜三郎であることが記されている（高木栄吉、清宮秀之助編『東京勧業博覧会実記』重宝新聞社、一九〇七年）。

＊22 **黒門町** 現在の台東区にあった地名。寛永寺総門の通称である黒門にちなむ。

＊23 **万世橋** 一五頁参照。

＊24 **須田町** 現在の千代田区神田須田町。万世橋駅前には海軍の広瀬武夫と杉野孫七の銅像があった。広瀬は日露戦争に従軍し、乗っていた福井丸の沈没間際まで部下の杉野を探し続けて戦死した逸話から、「軍神」とたたえられた。

＊25 **駿河台**

和田倉《わだくら》、馬場先《ばばさき》、あの辺の土手の上、商業会議所(*28)あたりの歩道、立往生の電車、何所にも巣をかまえていた。電車の胴は掲示場に利用された。壊れた石垣を伝って、青みどろの濠水《ほりみず》で沐浴《もくよく》をしているのはその後新聞の写真で見た通りだった。

日比谷公園(*29)も避難の人々で一杯だった。酸《す》え臭い匂いと、何か得体の知れぬ変な匂いとがする。池では若い連中が腰まで入り、棒切れで浮び上がる鯉を叩いていた。腐った飯が所々に捨ててある。

疲れた身体《からだ》を漸く赤坂福吉町《あかさかふくよしちょう》のS君の門まで運ぶ。S君は日本橋の蒲鉾屋《かまぼこや》で、福吉町にも私宅を持っている。S君は亢奮して遭難の模様を話す。S君は自分の訪ねた事を非常に喜んだ。

然し此辺に来るともう、それは日頃の此辺と変りなかった。この事が何となく不思議にも亦《また》当然のようにも思われるのだ。

氷川《ひかわ》神社の前から坂を下《お》り、坂を上がり、麻布の家に近かづく。向うから父が四日前京都駅で別れた儘《まま》の姿で、俥《くるま》に乗って来る。父は自分を認めず、門を入って行った。

麻布の家は土塀石塀等は壊れたが、人も家も全く無事だった。二番目の妹の婚家が焼け、皆で来ている。只鎌倉の叔父と横須賀の叔母と保《ほ》土《ど》ヶ谷《や》に置いて来た二番目の妹の娘の安否だけが知れなかった。

父は清水《しみず》(*30)から汽船で前日横浜に上陸し、他の連中はそのまま日づけに入京したが老年の父は荷を皆捨ててついて行ったが直ぐ後れ、一人川崎の労働者の家の框《かまち》に一夜を過ご

二九頁参照。

*26 **ニコライ堂**
三六頁参照。

*27 **刺子**
厚手の綿布を重ね合わせて、一面に細かく刺し縫いをした衣服。消防服や武道の稽古着などに用いる。

*28 **商業会議所**
馬場先交叉点の南隅にあり、建物に尋ね人の貼り紙が数多く見られた。

*29 **日比谷公園**
五六頁参照。

*30 **清水**
現在の静岡県清水区を中心とする地域。港町であり、震災時に東海道線が不通になったため、横浜や芝浦との間をつないだ。

し、翌朝漸く俥を得て帰って来たと云った。疲れ切り、よごれ切っているが水道が来ぬので湯に入れない。然し皆は互に皆の無事を喜び合った。最初男っ気のなかった麻布の家は其日から従弟《いとこ》のKさんが万事世話を焼いていた。その他、避難して来た親類の男の人、出入りの男など皆よくしている。

午後、Kさんに牛込の妻の実家(＊31)と、武者《むしゃ》(＊32)のお母さん達の立退き先きに行って貰う。その間自分は熟睡した。

夕方、柳《やなぎ》(＊33)が兼子《かねこ》(＊34)さんと共に見舞いに来てくれる。柳の家も無事、(後で房州にいる兄さんの不幸を知る)兼子さんの実家も無事という事だった。二人の帰りを送りがてら一緒に出る。柳が朝鮮人に似ているからと離れる事を兼子さん気にする。

六本木《ろっぽんぎ》で柳と別かれ、後から来たH君と新龍土《しんりゅうど》の梅原《うめはら》(＊35)君を訪ねる。皆無事。日頃身ぎれいにしている人が、今日はすすけていた。流石《さすが》に将棋でもなく、然し気楽に話す。有島兄弟達の無事を聞く。京都への簡単な伝言を聞き、夜警の往来を帰って来る。

H君麻布に泊る。二人共熟睡。

鮮人騒ぎの噂却々《なかなか》烈しく、この騒ぎ関西にも伝染されては困ると思った。なるべく早く帰洛する事にする。一般市民が鮮人の噂を恐れながら、一方同情もしている事、戒厳司令部や警察の掲示(＊36)が朝鮮人に対し不穏な行いをするなという風に出ている事などを知らせ、幾分でも起るべき不快《いや》な事を避ける事が出来れば幸《さいわい》だと考えた。そういう事を柳にも書いて貰う為め、Kさんに柳の所へいって貰う。

＊31 **妻の実家**
直哉の妻は武者小路実篤の従妹である勘解由小路《かでのこうじ》康子《さだこ》。

＊32 **武者**
小説家の武者小路実篤。一八八五（明治一八）～一九七六（昭和五一）。直哉とは白樺派の盟友である。震災当時には宮崎県児湯《こゆ》郡木城村の「新しき村」にいた。母は秋子《なるこ》。

＊33 **柳**
民芸研究家の柳宗悦《むねよし》。一八八九（明治二二）～一九六一（昭和三六）。実篤、直哉らと親交があり、白樺派の仲間であった。

＊34 **兼子さん**
柳宗悦の妻である声楽家。

＊35 **梅原**
画家の梅原龍三郎。一八八八（明治二一）～一九八六（昭和六一）。京都の染呉服商出身。在仏していた折に雑誌「白樺」に寄稿をするほか、白樺社主催の個展開催を通して白樺

T来る。Tの上渋谷《かみしぶや》の家《いえ》は小さい川の傍で余り地盤がよくもなさそうに思え、心配していたが、人も家も共に無事だったとの事。

「随分驚いたろう?」

「それがあんまり驚かないんだよ」こういっては変な顔をしていた。その時Tは丁度銀座にいたのだ。話を聴くと可成り驚いていい筈《はず》なのが、驚かなかったという事が如何にも呑気なTらしく、同時に如何にも大地震らしく思えた。

派の人々と交流を深めた。

＊36 **警察の掲示**
警視庁編『大正大震火災誌』(一九二五年)によれば、以下の内容を記したビラ約三万枚が九月三日配布されている。「急告 昨日来一部不逞鮮人ノ妄動アリタルモ、今ヤ厳重ナル警戒ニ依リ其跡ヲ絶チ、鮮人ノ大部分ハ順良ニシテ、何等凶行ヲ演ズル者無。之ニ付濫リニ之ヲ迫害シ暴行ヲ加フル等無之様注意セラレ度、又不穏ノ点アリト認ムル場合ハ速ニ軍隊警察官ニ通告セラレ度シ。警視庁」(引用には適宜句読点を施し、旧字体は新字体に改めた)。

◉解説　関東大震災で甚大な被害を受けた湘南

関東大震災の震源地に近い神奈川県や千葉県では、倒壊家屋も多く、やはり甚大な被害があった。東京に津波は来なかったが、相模湾に面した海岸や房総半島先端の海岸には津波が来ている。古都・鎌倉には多くの神社仏閣があり、鶴岡八幡宮や鎌倉大仏などが大きな損傷を受けている。その後鎌倉国宝館が建てられたのは、関東大震災による文化財の損失が契機だった。

小説家・評論家の広津和郎は「東京から鎌倉まで」を書いた。広津は東京の神楽坂にいて被災し、小説家の父・広津柳浪の安否を気遣って鎌倉に急いだ。そのため、品川から焼ける東京を振り返り、川崎では倒壊家屋を見て、さまざまな噂を聞きながら鎌倉に入った。父・柳浪は翻訳家の田中純の家に避難していて、無事だった。文壇では広津の親孝行ぶりが評判になったという。

鎌倉は別荘地・避暑地になっていたので、文豪たちが集まっていた。その一人、久米正雄は「鎌倉震災日記」で、鎌倉の被災状況を詳しく書いた。久米は津波の襲来を恐れ、走って長谷観音の高台に上った。海を見晴らすと海水が沖に引き、海底が見えた。大きな津波が来ることを予感して、寺の鐘を撞いて下にいる人々に危険を知らそうとしたが、鐘が落ちていてできなかった。広津が予想したほどではなかったが、その後、八メートルほどの高さの津波が来ている。鎌倉は地震、火災、津波による被害が重なったことになる。

広津は津波によって英文学者の厨川白村が亡くなったことを知り、妻の蝶子を見舞った。白村は骨膜炎で左足を切断して義足だったので、妻に支えられて高台に避難しようとしたが、川沿いを移動したこともあって、津波に巻き込まれた。白村は植木屋の職人によって泥田から救い出されて渾身の手当を受けたが、嚥下《えんげ》肺炎で助からなかった。蝶子は仮の埋葬をした後、荼毘《だび》に付して京都に戻った。白村は著名な文化人唯一の死者であり、障害者の高台避難が難しいという課題を残すことになった。

鎌倉だけでなく、湘南一帯は大きな被害にあっている。小田原にいたのは歌人・詩人の北原白秋である。小笠原の民家を模して建てた「木菟の家」は半壊し、しばらく竹林に幽居した。しかし、白秋は避難生活をまったく楽園の生活だと書いている。「大震抄」では、世の中の人が傲り高ぶる心を抱いているので、神の怒りを買ったのだと詠んだ。これは渋沢栄一などが唱えた天譴説に拠っている。

山崩れや土砂崩れの被害があったのは箱根である。小説家の谷崎潤一郎は箱根からバスに乗って帰るときに被災した。左は崖から大石が落ち、右は深い谷で、山道には土砂崩れが起こったが、うまく車が止まって、すんでのところで助かった。しかし、東海道線が不通で横浜の家に帰れず、沼津を通って大阪に出て、「全滅の箱根を奇蹟的に免《のが》れて〔手記〕」を寄稿した。その後、神戸から船で横浜に帰り、東京に避難していた家族と再会し、まもなく関西に移住している。震災が人生と作風を変えた文豪としては、第一に谷崎を挙げねばならない。

また、地方にいた文豪たちは、東京にいる家族や自宅、実家の様子を確かめに、次々と駆けつけた。小説家の中條百合子、後の宮本百合子は、夫の実家のある福井で大きな揺れを感じた。東京の惨状を知り、大急ぎで東京にやって来て、実家を訪ねた後で自宅に帰るまでを「私の覚え書」に書いた。バラックで生活している人々を思い、婦人がなすべき社会事業があることを考え、その後災害救済婦人団に参加している。

京都にいたのは小説家の志賀直哉だった。京都でも微弱地震があったが、志賀はそれに気づかす、号外で震災を知った。すでに和解をした父がちょうど東京に旅立ったところだったので、それも心配して東京に急いだ。「震災見舞（日記）」では、信越線回りで東京に向かったが、次第に朝鮮人殺害の噂が高くなってゆく様子を細やかに書いている。すでに白樺派の作家たちはそれぞれの活動を進めるため各地に分散していたが、関係者の安否を確かめていた様子もうかがえる。

第三章

流言・飛語・警鐘

道聴途説

「女性」第四巻第四号、大正一二年一〇月（プラトン社）

小山内　薫

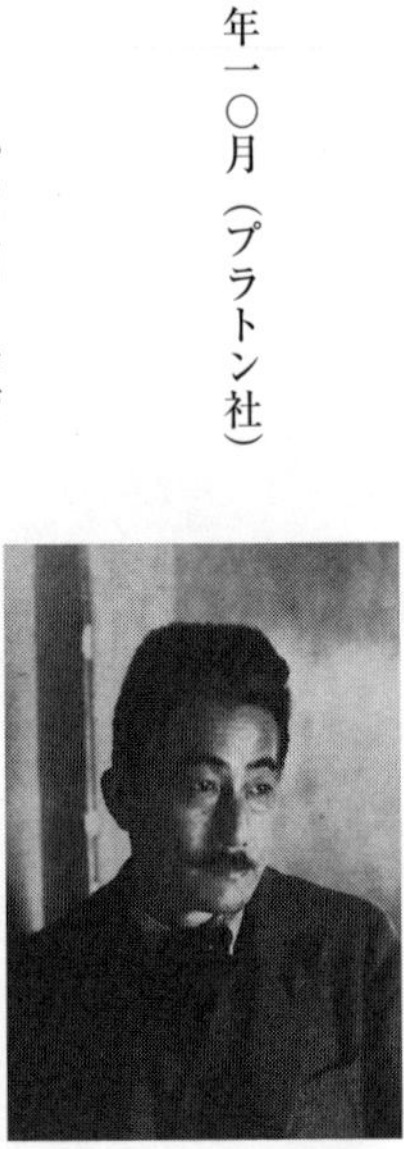

小山内薫《おさないかおる》（一八八一 明治一四 — 一九二八 昭和三）

演出家、劇作家、小説家。広島市生まれ。一九〇六（明治三九）年に東京帝国大学を卒業後、ヨーロッパ近代演劇に新しい演劇の範を求め、市川左団次とともに自由劇場を設立。その後関東大震災を契機に、演出家の土方与志《ひじかたよし》と共に築地小劇場を設立し、新劇運動や俳優養成に力を入れた。代表作に、詩集『小野のわかれ』、小説『大川端』、戯曲「国性爺合戦」など。

お櫃《はち》の中

或青年の話である——

朔日《ついたち》の午後、この青年は猛火を潜《くぐ》って日本橋の親類へ駆けつけた。その途中に魚河岸《うおがし》を通った。

ふと、川の中を見ると、一枚の畳が流れている。畳の上には俯伏《うつぶ》せになった女の死骸が乗っている。女の頭の側の狭いところにお櫃《はち》が一つ乗っている。ふと見ると、お櫃（＊1）の中に赤ん坊がはいっていて、おぎゃあおぎゃあ泣いている……

＊1　**お櫃**
炊いた米を釜から移し入れておく木製の器。めしびつ。

「危ないッ。」と思ったが、岸は高し、川の中は火に焼けているし、青年は飛び込む勇気がなかった。

畳の上のお櫃がひっくり返ったら、それきりだ。

突然、人足(＊2)ていの男ががむしゃらに川へ飛び込んだ。そして、お櫃ごと赤ん坊を助け上げた。

青年はほっとしたが、その間の心持と言ったら何に譬《たと》えようもなかったそうだ。

＊2　**人足**
力仕事をする労働者のこと。

寺木夫人

鎌倉の寺木《てらき》夫人は元の衣川孔雀《きぬかわくじゃく》(＊3)である。

夫人は丁度台所で午《ひる》の仕度をしていた。コンロに火を盛《さかん》におこして、何か煮ていた。その側で上の子二人が遊んでいた。

途端に、家がぴしゃりと潰れた。忽《たちま》ち火事になった。二人の子は焼け死んだ。

夫人は末の子一人を抱えて、やっと外へ逃れ出た。

寺木氏は気ちがいのようになった。

或《ある》煎餅屋《せんべいや》へ飛び込んで、一袋の煎餅を買った――買ったのではない。あとで払うと言って、浚《さら》うようにして持って来たのである――そして、死んだ自分の子供達と同じぐら

＊3　**衣川孔雀**
九六頁参照。

いな年恰好《としかっこう》の子供を見ると、その煎餅を分けて歩いた。

里見夫人

逗子《ずし》の里見《さとみ》夫人(＊4)は弴《とん》君が二科会(＊5)の招待で東京へ出ている留守に地震に会った。子供達はしあわせと外で遊んでいたので、無事だったが、夫人があっと言う間に家の下敷になった。

梁《うつばり》(＊6)に圧《お》されて、右の手の外動かすことが出来なかった。その右の手を力の限り振って、声を限りに呼んだ。隣の植木屋が駆けつけて来て、鋸《のこぎり》で梁を引き切った。そうして、やっと救い出された。

弴君

弴君は東京の或家で寝《ね》ていた。

地震だなと思うよりは家の潰れた方が早かった。

弴君の小さい躰《からだ》はころころと座敷の隅まで転げて行った。上には天井が蔽《おお》いかかって

＊4　**里見夫人**

里見弴の妻、まさ。一八九八(明治三一)～一九七三(昭和四八)。里見弴は一九一三(大正二)年の末に山中家に仮住まいし、その後まさとの間に長女夏絵をもうける。夏絵は生後四八日で夭逝したが、里見はまさと上京し、父母に強制的に結婚を認めさせる。当時の良家の子弟としては珍しい、自由恋愛による結婚であった。結婚直後は麹町の裏通りに世帯を持ったが、二一年九月に逗子《ずし》に転居した。

＊5　**二科会**

一九一四(大正三)年に設立された美術団体。里見弴の兄である有島生《いく》馬《ま》らが結成した。

＊6　**梁**

棟の重みを支えるために、棟と直角に柱と柱の間に渡した横木。単に「はり」とも言う。

いた。

弴君はおもむろに烟草《たばこ》からマッチから手廻《てまわ》りのものを「例のカバン」――と言えば、友達はみんな知っている――に納《しま》って、それから悠々と隙間を見つけて外へ出た。

耕作君とピストル

山田《やまだ》耕作《こうさく》君(＊7)はハルビン(＊8)で大震の報に接した。

急いで東京へ帰ろうとして、先ず護身用のピストルを買った。それを何かに包んで、ルックザックの奥深く納めた。

大阪までは一等か何かで紳士的な旅行をしたが、大阪から中央線を廻って東京へはいるまでの苦しみは一通りでなかった。

甲府を出てからのことであった。

車中に興奮のあまり気の変になった学生があった。

学生の目には、車中の誰《たれ》も彼もが○○に見えた。学生は車中の総《すべ》ての人に荷物の検査を迫った。

耕作君の袋の中にはピストルがある。満洲土産《まんしゅうみやげ》がある。いろいろあっちの地名の書いた書附がある。

＊7 **山田耕作**
作曲家、指揮者。一八八六（明治一九）～一九六五（昭和四〇）。一九三〇（昭和五）年に「山田耕筰」に改名。国内外問わず多大な功績がある他、現代でも著名な「赤とんぼ」「待ちぼうけ」などの童謡を数多く残した。一九二五（大正一四）年には、この文章の著者である小山内薫と共に劇団「土曜劇場」「新劇場」を設立している。

＊8 **ハルビン**
旧満洲（現・中国東北部）に位置する都市。大正時代には、ハルビンの「東支鉄道交響楽団」が東洋随一のオーケストラとされ、山田耕作は日本への招聘に尽力するも、関東大震災によりあえなく挫折。しかし翌年、ハルビンと日本の楽団員を交えて「日露交歓交響管弦楽演奏会」が行われた。

若《も》し、それらを見られたら、自分は殺されると思った。

耕作君は終《つい》に立ち上がって演説をした。

「……唯《ただ》さえみんなの気の立っている時に、お互の荷物を見せ合うようなことをしたら、益々お互に気まずい思いをしなければなるまい。それよりは証明書のある者とない者とが二つに分かれて、陸軍の出張のあるところまで行って、そこで調べて貰った方が好《い》いと思う……」

そういう意味のことを言った。

みんなが賛成して呉れた。

証明書のある者とない者とが二つに分かれて坐《すわ》った。やがて、陸軍の出張しているところへ来た。

軍人はその所置を褒《ほ》めて、別に厳しい詮議《せんぎ》はしなかった。

耕作君はほっとした。

「実際、もうお終《しま》いかと思った」と、耕作君は幾度も言った。

荷風君の夜警

荷風《かふう》(＊9)君は独棲《どくせい》の人である。

＊9　**荷風**
永井荷風。二二六頁参照。
＊10　**吉村せい子**

家は焼けもせず、潰れもしなかったが、震災後は何処《どこ》へ遊びに行くところもなく、話をする相手もなかった。

そこで、楽《たの》しんで夜警に出た。夜警に出て、誰彼《たれかれ》となく話した。

その内に、中洲《なかす》を焼け出されて、吉村せい子女史（＊10）とその門下の令嬢達が逃げて来た。

偏奇館《へんきかん》（＊11）は俄《にわか》に賑《にぎやか》に美しくなって来た。

愛児流失

本所の黙阿弥《もくあみ》（＊12）一家八人は一時ばらばらになった。

幸《さいわい》に今ではみんな落ち合って、母堂いと子刀自《とじ》も当主繁俊《しげとし》氏（＊13）も無事であるが、その間に繁俊氏が愛児の一人を見す見す流してしまった惨事がある。

繁俊氏は夫人子供達と火を河の中に避けていた。退潮時《ひきしおどき》の水の勢《いきおい》はみんなを浚《さら》って行きそうにした。

繁俊氏は一人一人を川の杭《くい》に括《くく》しつけた。

それでも、水の勢は烈《はげ》しかった。終《つい》に末の子を背負っていた子守が、背中の子供と一緒に流されてしまった。

目の前に流れて行く子を見ながら、夫婦はそれをどうすることも出来なかった。


未詳。関東大震災後に永井荷風のもとで居候していた平沢という男の妻か。「女は今年三十三とやら。本所にて名ある呉服店の女の由。中洲河岸に家を借り挿花の師匠をなし居たるなり。現代の雑誌文学にかぶれたる新しき女にて、知名の文士画家または華族実業家の門に出入することを此上もなき栄誉となせり」（『断腸亭日乗』大正一二年一〇月一日）。

＊11 **偏奇館**
永井荷風が麻布区（現・港区）市兵衛町に建てた洋風家屋。ペンキ塗りなので、それをもじって「へんきかん」と名付けた。

＊12 **黙阿弥**
河竹黙阿弥。幕末から明治にかけて活躍した歌舞伎脚本作者。一八一六（文化一三）～一八九三（明治二六）。

＊13 **繁俊**
演劇学者。河竹黙阿弥の娘、いと子の養子。一八八九（明治二二）～一九六七（昭和四二）。

総《すべ》て火の子が雨のように降る中の出来事であった。

夫婦と他の一人の子は無事に救われたが、いずれも大焼傷《おおやけど》で、今に病院に呻吟《しんぎん》(＊14)している。

屋根の下

横浜小港《こみなと》の田島淳《たじまじゅん》君(＊15)は、いきなり屋根の下になってしまった。

その儘《まま》、屋根の下に三時間いて、それからやっと救い出された。

若し家に火がついたら、命はなかったに違いない。

今は掘立小屋で塩粥《しおかゆ》を啜《すす》っている。

私の家

私は五つの時から十九の時まで富士見町の家で育った。そこは西南戦争(＊16)より前に死んだ父(＊17)が買った家《うち》だった。それから三番町に移り、三番町から巣鴨《すがも》へ移った——大学時代である。学校を出ると、巣鴨から浅草の代地《だいち》(＊18)に移った。それから身一つになって、佃島《つくだじま》

＊14 **呻吟**
苦しんでうめくこと。

＊15 **田島淳**
劇作家。一八九八（明治三一）～一九七五（昭和五〇）。一九二〇（大正九）年に松竹キネマ合名社が発足すると、小山内薫に招かれて入社した。

＊16 **西南戦争**
一八七七（明治一〇）年に西郷隆盛を中心とした薩摩士族が政府に対して起こした反乱。

＊17 **父**
陸軍軍医の小山内建《たけし》。一八八五（明治一八）年に死去。

＊18 **代地**
現在の台東区柳橋の辺り。隅田川の河岸。

の海水館にいた。それから下渋谷に住んで妻帯した。下渋谷から赤坂田町へ、田町で火事に会って芝明舟町《しばあけふねちょう》へ越した。明舟町からほんの一時高輪《たかなわ》へ、高輪から麻布森元《あざぶもりもと》へ、森元から今の四谷坂町《よつやさかまち》へ越したのである。

その富士見町も三番町も浅草の代地も佃島も赤坂田町も明舟町も、今度の火事でみんな焼けてしまった。

随分東京をそれからそれと移り住んだものだが、その内大部分は焼けてしまった。

過去の思い出となるべき家は、もう一軒も私になくなってしまった。

人の行方

大阪の或婦人が八月卅一日の夜の汽車で東京へ向った。

着くが否やあの地震に会ったに違いない。

しかも、宿は最も危険な区域にあった。

私は東京へはいると——私は震災の当時六甲《ろっこう》にいた(＊19)のである——直ぐとその焼跡をたずねた。

そこには、板っ切れが立っていて、私のたずねる婦人の名が書いてあった。そして、その行方を知っている人は麻布のこれこれいう所へ知らしてくれと書いてあった。

＊19 **六甲にいた**
小山内薫の長男徹の編集した年譜によると、「一家をあげ六甲に滞在し、九月一日帰京せんとしたとき関東大震災の報を受く」(『現代日本文学全集36 小山内薫　木下杢太郎　吉井勇集』筑摩書房、一九六一年)とある。六甲は兵庫県の地名。

私はそれを読むと、もう駄目だと思った——もうそれは九月九日のことなのだから。

それでもと思って、その明くる日、てくてくその麻布の家《うち》というのを尋ねて行って見た。そこへ行けば、なんとか消息が分かるだろうと思って。

ところが、その家へ辿《たど》りついて見ると、それはとても広大な屋敷で、門の中が寂《しん》としている——地震にも火事にも関係のないような顔をしている。

私は自分のみなりを顧みた。

うっかりはいったら叱《しか》られそうな気がした。

私はすごすごと引っ返した。

幸にその婦人は無事に大阪へ帰っていた。併《しか》し、その大きな家の門まで行って、なんにも聞けずに帰った日の心の暗さはいまだに忘れることが出来ない。

噂する本能（震災覚書その四）

「改造」第五巻第一〇号、大正一二年一〇月（改造社）

里見弴

お喋《しゃべ》りは人間だけの特徴だ。殊に今度のような場合、知った人でも知らない人でも、人の顔さえ見れば、自分の見聞のありッたけを喋り尽さなければ気が済まないような本能が、著しく人々をお喋りにしている。どこへ行っても地震だ、火事だ、朝鮮人だ、保険金だ、夜警だ、被服廠《ひふくしょう》（＊1）だ……。

それに就いてこんなことを云っていた人がある。――どうして人間は、いま聞いたばかりのことを、すぐまた誰かに伝えなければ気がすまないものかしら、と思っていたが、成程こんどのようなことになってみると、痒《かゆ》いところへ手の届く自然のやり口を、今更ながら感嘆するほかはない。若《も》し人に「噂《ゴシップ》 する」の本能が与えられていなかったなら、世の中に、何か出来事の知れ亘《わた》るのが遅くって仕様がない。自然は、電報電話、新聞号

里見弴《さとみとん》（一八八八 明治二一—一九八三 昭和五八）

小説家。横浜市生まれ。本名山内《やまのうち》英夫。一九一〇（明治四三）年に志賀直哉らと共に「白樺」を創刊。一六（大正五）年に発表した短編小説集『善心悪心』などで文壇的地位を確立するも、その後「白樺」とは距離を置くようになる。関東大震災と同年の六月に兄の有島武郎が情死、八月に「白樺」が廃刊。三一（昭和六）年刊行の『安城家の兄弟』からは、震災や兄の死が里見の心境にいかなる影を落としたかをうかがい知ることができる。

＊1　**被服廠**

旧陸軍部隊に支給する被服品の工場。移転にともなう跡地（現・東京都墨田区、両国国技館の近辺）では、広

外などの通信機関まで、ちゃんと人間自身の本能のなかに仕掛けて置いたのだ。だから、それら文明の通信機関が破壊された今度のような場合になると、急に人々が通信本能を発揮して、その不足を充《みた》そうとするのだ。実によくしたものだ、と。

いかにもそうに違いない。但し、この元始的通信機関は、矢張りどう考えても不完全千万だった。速さに於《おい》ては、殆《ほとん》ど電波に譲らず、拡《ひろが》りに於ては、最大の発行部数を有する新聞紙を遥に上越するものがあったろう。そう云う点からみれば、驚くべき数々の実例を現したが、然《しか》し正確の一点では、悉《ことごと》く出鱈目《でたらめ》と云ってもいいくらいだった。勿論、電報電話新聞号外などの類も、人の手によって成されるものであるからには、絶対の正確を期するわけにはいかないけれど、機械の仕事だけに、水臭いながら堅いところはある。申し送りの通信機関で一番悪いところは、人性の弱所欠点が、次第次第に附加されて行くことだ。丁度貨幣が、人手から人手へ巡り歩く間に、こすれ磨かれてピカピカと光り耀く代りに垢《あか》じみ汚れ、錆《さ》び、磨滅《すりへ》るような、悪い方への変化が生じることだ。口から耳へ、口から耳へと渡り渡って来る間に、――沢山な人のあたまを通りぬけて来る間に、実際の事実よりも、よい方へ高められたと云うのは一つもない。みんな下劣に、欲深に、淫蕩《いんとう》に、惨酷に、無智に、そして大体に於て馬鹿々々しく大袈裟《おおげさ》にされて了《しま》う。一口に云えば、悪い方へ低められて了う。それはみんな、沢山なあたまのなかを通る際に、喰ッ附いて来る滓《かす》だ。

よいあたまばかりを通って来た話なら、必ずその間に清め磨かれて、光を放つ筈《はず》だ。

大な空き地になっていたので、関東大震災の際に多くの人が避難したが、火災旋風によって約三万八千人が焼死した。現在では東京都慰霊堂および東京都復興記念館が建てられている。

流言蜚語《りゅうげんひご》と云うようなものは、無智無恥なあたまばかりを通りぬけて来たごく悪い通信の謂《いい》だ。国民の以《も》って自ら恥とし、相戒《あいいまし》めなければならないところのものだ。申し送りの通信機関が、第一にはもっと正確になり、よし間違うとしても、よい方へよい方へと変って行くようになれば、その国は既に楽土に近く、その国民は必ず幸福だろう。「噂する本能」も、高くもって行こうとすれば、電報電話、新聞号外などよりも、もっと正確に、よし間違うとしてもよい方へ変った、上品なものにも出来ない筈はないのだ。今度の災厄で、この点から観察された罹災者のあたまの程度はどう贔負目《ひいきめ》にみても、あまり感心できないものだった。

雑誌社の依頼によって、予はかくの如《ごと》きお喋りを四誌に発表した。女性、新潮、婦人公論、及び本誌がそれである。これとて、一種「噂する本能」の現れだが、予は出来るだけそれを高く持そうと努めたつもりだ。何十万の人々を、あらゆる不幸に陥れたところの災厄に就いて、いい加減な噂話をすることで幾何《いくばく》かの金を得るのは、如何《いか》にも心苦しかった。で、予は、四誌のいずれに対しても偏頗《へんぱ》なく、五枚を限って書くことに自ら掟《おきて》した。些少《さしょう》ではあろうが、総計二十枚の原稿料は、挙げて罹災者の為に費そうと思っている。

但し小説は予の職業だから、今後震災に材を取ったものを書くとしても、それが独立した創作である以上は、決して心疚《こころやま》しいことなく、以て自らの衣食にあてるつもりだ。四種の雑文（＊2）の稿を終るに際して、一言附して以て自らに掟して置こうと思う。

＊2　**四種の雑文**
里見は違う雑誌に「震災覚書」を書いたが、それらを一連のものと見て、これを「その四」とした。

災後雑観

「改造」第五巻第一〇号、大正一二年一〇月（改造社）

菊池　寛

自然の大きい壊滅の力を見た。自然が人間に少しでも、好意を持っていると云うような考え方が、ウソだと云うことを、つくづく知った。宇宙に人間以上の存在物があり、それが人間を保護しているとか、叱責《しっせき》するとか云う信仰もみんな出《で》鱈目《たらめ》であることを知った。もし、地震が渋沢栄一（＊1）氏の云う如く天譴《てんけん》（＊2）だと云うのなら、やられてもいい人間が、いくらも生き延びているではないか。渋沢さんなども、自分で反省したら、自分の生き残っていることを考えて、天譴だなどとは思えないだろう。自然の前には、悪人も善人もない、ただ滅茶苦茶だ。今更人間の無力《オーンマハト》を感じて茫然たる外はない。いろいろ口実を付けて、自然の暴力を認めまいとするのは、人間の負け惜しみに過ぎない。

菊池寛《きくちかん》（一八八八 明治二一—一九四八 昭和二三）
小説家、劇作家。香川県高松生まれ。一高の同級生・芥川龍之介の勧めで第三次「新思潮」の同人となる。一九一六（大正五）年より時事新報社社会部記者となり、創作活動にも力を入れ、文壇的地位を確立した。関東大震災後は東京を転々としたが、雑司ヶ谷に居を定めた。

＊1　**渋沢栄一**
実業家。一八四〇（天保一一）～一九三一（昭和六）。

＊2　**天譴**
一〇三頁参照。

サーベル礼讃

「改造」第五巻第一〇号、大正一二年一〇月（改造社）

佐藤春夫

小生が、今度の変事で最も感心したことは何と言っても軍人の威力である。——自然の威力に就ては何も今さらではないから。ところで一《いっ》たい、天然の災害に対して剣つき銃の出動を俟《ま》たざるを得ざるかの如《ごと》きは、その理由が何から発しているかを知らず最も不泰平の象ではあるまいか。邦家及び市民の名誉だなどとは決して誰も言うまい。しかもその軍隊が無かったら安寧秩序が保てなかったろうと考えさせられるのだから、この際、御同様、礼讃すべきものははやり威光燦《さん》たるサーベル（*1）ではあるまいか。さればこそ、恐らくは時代の先駆を以て自任するすべての雑誌などからは当分「所謂《いわゆる》主義者」の名前などは影を没するであろう。如何《いかが》でしょう、天下の雑誌経営者諸君。

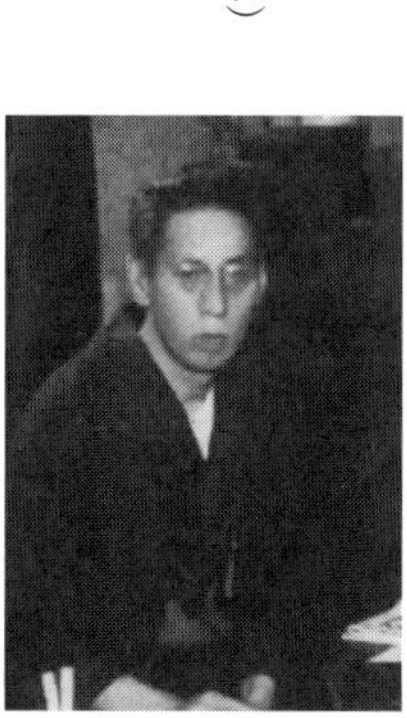

佐藤春夫（一八九二 明治二五—一九六四 昭和三九）

詩人、小説家。和歌山県東牟婁《ひがしむろ》郡新宮町（現・新宮市）に生まれる。「明星」に投じた短歌が選に入り、創作を開始。後に「スバル」の主要同人となる。東京新詩社に入り、終世の友・堀口大学に出会う。罹災した時も望翠楼ホテルで堀口と共にいた。『田園の憂鬱』『都会の憂鬱』などの小説により人気作家となった。

＊1　サーベル
西洋風の刀剣の一種。明治初期に指揮用・騎兵用として軍隊に採用され、警察官も帯びるようになった。軍人や警察官をさげすんで指す呼称としても用いられた。

最後の大杉

『おもい出す人々』大正一四年六月（春秋社）

内田魯庵

（一）

大杉(*1)とは親友という関係じゃ無い。が、最後の一と月を同じ番地で暮したのは何かの因縁であろう。大杉が初めて来たのは赤旗事件(*2)の監房生活から出獄して間もなくだった。淀橋《よどばし》(*3)へ移転してから家が近くなったので頻繁に来た。思想上の話もしたし、社会主義の話もしたが、肝胆相照《かんたんあいて》らしたというわけでもないから多くは文壇や世間の噂《うわさ》ばなしだった。

大杉は興味が可成《かなり》広くて話題にも富んでいた。近年ファーブル(*4)のものを頻りに翻訳していたが、此種の文学的乃至《ないし》学術的興味を早くから持っていて、主義者肌よりは寧《むし》ろ文

内田魯庵《うちだろあん》（一八六八 慶応四 — 一九二九 昭和四）
翻訳家、批評家、小説家。江戸下谷車坂（現・台東区）生まれ。本名貢《みつぎ》。英文学者の井上勤の助手となり翻訳活動を行う。一八八八（明治二一）年に「女学雑誌」に評論を寄稿し、批評、随筆で活躍。ドストエフスキーや二葉亭四迷から強く影響を受けた。関東大震災によって焼失した膨大な書物を精査した著述として「典籍の廃墟」がある。

＊1　**大杉**
大杉栄。一八八五（明治一八）～一九二三（大正一二）。社会運動家、無政府主義者。日露戦争開戦にあたり非戦論を核心として結成された「平民社」に出入りし、社会運動を行って入獄を繰り返した。

人肌であった。小説も好きなら芝居も好き、性的研究などにも興味を持って、性的研究に率先した小倉清三郎（＊5）の「相対」の会などにも毎次出席して、能く「相対」の会の噂をした。

百人町を移転《ひっこ》してから家が遠くなったので自然足が遠のいた。加之《のみ》ならず、神近《かみちか》（＊6）や野枝《のえ》さん（＊7）との自由恋愛を大杉自身の口から早く聞かされたが、常から放縦な恋愛を顰《ひん》蹙《しゅく》する自分は大杉の可成に打明けた正直な告白に苦虫を潰さないまでも余り同感しなかったのを気拙《きまず》く思ったと見えて、家が遠くなると同時に足が遠のいて了《しま》った。日蔭《ひかげ》の茶屋の事件（＊8）があった時、早速見舞の手紙を送ると直ぐ自筆の返事を遣《よこ》したが、事件が落着しても夫《それ》ぎり会わなかった。夫から程経って野枝さんと二人で銀座をブラブラしている処へ偶然邂逅《でっくわ》し、十五分ばかり立話しをした事があったが、夫以来最近の数年間は唯《ただ》新聞で噂を聞くだけであった。

大杉が仏蘭西《フランス》から追返され、神戸へ帰着して出迎えの家族と一緒に一等寝台車で東上した記事が写真入りで新聞を賑わしてから間もなくだった。或る朝突然大杉さんが入らしったと家人が取次いだ。大杉何という人だと訊《き》くと、大杉栄さんで皆さん御一緒ですと云った。近頃何年にも顔を見せた事が無い大杉が、シカモ家族を伴《つ》れて来るというは余り思掛けなかったが、左《と》も右《か》く二階へ通せと半信半疑で云うと、軈《やが》てトントン楷段《はしご》を上って来たのは白地の浴衣《ゆかた》の紛れもない大杉であった。数年前の大杉と少しも違わない大杉であった。その踵《あと》から児供《こども》を抱いて大きなお腹の野枝さんと新聞の写真でお馴染の

＊2　**赤旗事件**
一九〇八（明治四一）年六月二二日に東京・神田の錦輝館で起こった社会主義者と警官隊との衝突事件。大杉栄を含め一四名が検挙され、大杉には二年六ヶ月の懲役が科された。

＊3　**淀橋**
現在の新宿区西部。

＊4　**ファーブル**
フランスの昆虫研究家、博物学者。一八二三〜一九一五。大杉栄は獄中でファーブルの『昆虫記』の英語抄訳版を読み、一九二二（大正一一）年から全訳刊行を行った。

＊5　**小倉清三郎**
性科学者、社会運動家。一八八二（明治一五）〜一九四一（昭和一六）。「相対会」という日本初の性の研究会を主宰した。

＊6　**神近**
神近市子。東京日日新聞記者で、大杉と愛人関係にあった。一八八八

魔子《まこ》ちゃん(＊9)がついて来た。

野枝さんとは数年前に銀座で邂逅《であ》った時に大杉が紹介して呉《く》れた。が、十分か十五分の立話中《たちばなしちゅう》、大杉から遠く離れていたから此日《この》が初対面同様であった。之《これ》が魔子で、之がルイゼで、此外にマダ二人、近日お腹《なか》を飛出すのもマダあると云って笑った。以前から見ると面差《おもざし》が穏かになって、取別《とりわ》けて児供に物を云う時は物柔《ものやさ》しく、恁《こ》うして親子夫婦並んだ処は少しも危険人物らしくも革命家らしくも無かった。

「イイお父さんになったネ、」と覚えず云うと、野枝さんと顔を見合わしてアハハハと笑った。

（一一）

久し振で全家《うちじゅう》お揃いは珍らしいというと、昨日同番地へ移転して来たと云った。ツイそこの酒屋の裏だと云うから段々訊《き》くと、近頃まで何とかいう女医が住んでいた家だ。

「あの家《うち》は本《も》とはお医者さんで、移転したてに家の塀の角へ看板を出さしてくれとタウルを半ダース持って頼みに来た、」と云うと、「そんなら僕も看板を出さして貰おうかナ、」と云った。

「アナーキスト(＊10)の看板じゃタウルの半ダースぐらいじゃ引受けられない、」と云って笑った。

(明治二二)〜一九八一(昭和五六)。

＊7 野枝さん
伊藤野枝。無政府主義者。大杉と愛人関係にあった。一八九五(明治二八)〜一九二三(大正一二)。

＊8 日蔭の茶屋の事件
一九一六(大正五)年、大杉が伊藤野枝と葉山の日蔭茶屋で同宿していたところ、神近市子が大杉を刺傷した事件。

＊9 魔子ちゃん
大杉栄の長女。一九一七(大正六)〜六八(昭和四三)。日蔭茶屋事件が起きた当時、神近市子に同情的だった世間から伊藤野枝の子は悪魔であるかのように言われ、それを逆手にとって「魔子」と命名された。

＊10 アナーキスト
無政府主義者。

＊11 エンマ・ゴールドマン
エマ・ゴールドマン(Emma Gold-

魔子は臆面の無い無邪気な子で、来ると早々私の子と一緒に遊び出した。野枝さんの膝に抱かれたぎりのルイゼはマダあんよの出来ない可愛いい子で、何を云っても合点々々ばかりしていた。アッチもコッチもとお菓子を慾張って喰《た》べこぼすのを野枝さんが一々拾って世話する処は矢張世間並のお母さんであった。エンマ・ゴルドマン（＊11）を私淑する危険な女アナーキストとは少しも見えなかった。「日本ばかりじゃ騒がし足りないと見えて、仏蘭西までも騒がして来たネ。雀百まで躍りやまずで（＊12）、コンナに多勢《おおぜい》の子持になっても矢張浮気は止まんと見えるネ、」と云うと、「矢張時代病かも知れない、」と大杉は吃《ども》りながら云った（＊13）。

「夫でも、」と野枝さんは微笑《ほほえ》みつつ、「尾行が申しましたよ。児供が出来てから大変温和《おとな》しくなったと。」

大杉が児供を見る眼はイツモ柔和な微笑を帯びて、一見して誰にでも児《こ》煩悩《ぼんのう》であるのが点頭《うなず》かれた。野枝さんも児供が産れる度に、児供が長《おお》きくなる毎《ごと》に青鞜時代（＊14）の鋭どい機鋒が段々と円くされたろうと思う。

野枝さんは児供を伴れて先きへ帰ったが、大杉は久し振でユックリと腰を落付けた。正午になって迎えが来ても根を生やして、有合《ありあい》の午飯《ひるめし》を一緒に済まして三時ごろまでも話し込んだ。仏蘭西から帰りたてなので、巴黎《パリ》で捕縛されて監獄へ投り込まれた咄《はなし》をボツボツ話した。尤《もっと》も纏《まと》まった話でなく、断《ちぎ》れ断れで思想上の立入った問題には触れなかった。路傍演説（＊15）をして捕縛された咄はしたが、其《その》演説の内容は訊きもしなかったし話し

man）。リトアニア生まれ。アメリカで活動した女性無政府主義者。一八六九〜一九四〇。

＊12 **雀百まで躍りやまず** 「雀百まで踊り忘れず」とも。雀が生まれてから死ぬまで飛び跳ねて歩くように、若いときについた習性は年をとっても変わらないこと。

＊13 **大杉は吃りながら** 「吃る」は言葉がつかえること。大杉は重度の吃音《きつおん》だった。

＊14 **青鞜** 一九一一（明治四四）年に平塚らいてうを中心として結成された女性文学者集団「青鞜社」、もしくはその機関誌「青鞜」のこと。女性解放運動の拠点となったが、一五（大正四）年に伊藤野枝が平塚らいてうから主宰を引き継いだ後、大杉との恋愛に傾倒する中で廃刊となった。

＊15 **路傍演説** 一九二三年、大杉はフランス・パリ

もしなかった。唯仏蘭西人は一般に案外日本人よりも無知で、何しに来たというから社会学を勉強に来たというと、其《そ》の社会学という言葉の意味の解るものが少かったという事や、仏蘭西の巡査が人格も知識も日本の巡査よりも低劣で、第一言語からして野卑で、教養ある仏語が全く通じないという事や、仏蘭西の監獄が不整頓で不潔で、囚人の食事が粗悪で分量が少く、どの点から見ても日本の監獄以下であるという事や、何くれとなく仏蘭西を貶《くさ》した話ばかりした。

「ただ仏蘭西の監獄で便利なのは差入の自由です。日本同様監獄の前に差入物屋があって、銭さえ出せばどんなウマイものでも、酒でも煙草《たばこ》でも買う事が出来ます。僕は余り酒を喫《や》らんが、書物は格別持たず、面会に来るものは無いし、退屈で堪らんから白葡萄《しろぶどう》酒《しゅ》を買ってゴロゴロしながらチビチビ飲む。三日で一本明けたが、終日陶然としてイイ心持でした。銭さえあれば仏蘭西の監獄は左程苦しくない。当てがいの食物が足りなくても不味《まず》くても差入物屋から取りさえすれば相当な贅沢《ぜいたく》が出来ます。気楽に読書でもしていようてには仏蘭西の監獄は贅沢が出来て気が散らんから持って来いですよ。」

そんな話をして半日を何年振りで語り過ごした。

（三）

夫から四五日して銭湯で会った。魔子を伴れて洗粉や石鹸や七ツ道具を揃えて流しを

近郊のサン・ドニのメーデーで演説を行い、警察に検挙された。

＊16 **官憲**
特に警察関係の官吏・役人。

＊17 **三助**
銭湯で、湯をわかしたり客の体を洗ったりする男のこと。

＊18 **飛白**
絣。織る前にあらかじめ文様に従っ

取った此の児煩悩のお父さんが、官憲(＊16)から鬼神のように恐れられてる大危険人物だとは恐らく番台の娘も流しの三助(＊17)も気が付かなかったろう。が、表へ出て見ると湯屋の角の交番で飛白《かすり》(＊18)の羽織の尾行が張番をしていた。

ツイ眼と鼻との間におりながら夫ぎり大杉は来もしなかったし、私もお産があったと聞いたが見舞にも喜びにも行かなかった。が、大杉は始終乳母車《うばぐるま》へ児供を乗せて近所を運動していたから、能《よ》く表で出会っては十分十五分の立話しをした。魔子は毎日遊びに来たから全家が馴染になり、姿を見せない日は殆《ほと》んど無かったから、大杉や野枝とは余り顔を合わせないでも一家の親しみは前よりは深かった。

九月一日の地震のあと、近所隣りと一つに凝《かた》まって門外で避難していると、大杉はルイゼを抱いて魔子を伴れてやって来た。

「どうだったい。エライ地震だネ。君の家は無事だったかネ？」と訊くと、

「壁が少し落ちたが、大した被害は無い。だが、吃驚《びっくり》した。家が潰れるかと思った。」

「下町はヒドかろうナ。安政ほどじゃなかろうが(＊19)二十七年の(＊20)よりはタシカに大きい。之で先ず当分は目茶苦茶だ。」

「だが僕は、毎日々々セッ付かれて困ってたんだから、地震のお庇《かげ》で催促の手が少しは緩むだろうと地震に感謝している、」と軽く笑った。何でも大杉は改造社(＊21)とアルス(＊22)から近刊する著書の校正や書足しの原稿に忙殺されていたのだそうだ。

彼是《かれこ》れ小一時間も自分達と一緒に避難していたろう。余震の絶間なく揺《ゆ》る最中で、新

て染色された糸を用いて織り上げた織物。

＊19 **安政ほどじゃなかろう**
江戸時代後期の安政年間（一八五五～一八六〇）に立て続けに起こった地震と比較してこのように言う。江戸を中心とした直下型地震は一八五五（安政二）年旧暦一〇月二日に発生している。二〇〇頁参照。

＊20 **二十七年の**
一八九四（明治二七）年六月二〇日に発生した南関東直下型の大地震。

＊21 **改造社**
大杉は平民社に出入りしていたころまでの回想を「改造」で「自叙伝」として発表し、死後に未完ながらも単行本として刊行された。三二頁参照。

＊22 **アルス**
出版社。『日本脱出記』や『大杉栄全集』など、大杉の著作を複数出版した。

宿から火事が出たとか、帝劇（＊23）が今燃えてるとかいう警報が頻りであったので、近所隣りの人々がソワソワして往ったり来たりしていた。

そこへ安成二郎《やすなりじろう》（＊24）がコダック（＊25）を下げて来て、イイ獲物がなとソコラココラの避難の集まりを物色していた。

「ドウだい、」と私は安成に向って云った。「大杉に何処《どこ》かソコラの木の下に立って貰ってアナーキストの避難は面白かろう。」

大杉は笑っていた。安成が此写真を撮《と》ったら好い記念だったろうに、惜しい事をした。（後に聞くと、夫から大杉の自宅へ行って大杉夫妻を庭前で撮《うつ》したのだが、名人だから光線が入ったのだそうだ。）

其晩は恐怖に明けて翌《あく》る朝、近所の川本《かわもと》の原に大勢避難していると聞いて容子《ようす》を見に行った戻りに大杉の家を尋ねると、マダ寝ていたが私の声を聞くと起きて来た。

「能く家の中に寝たネ、」と云うと、

「大抵大丈夫だろうと度胸をきめて家の中で寝た。尤《もっと》も、」と塀の外を指して、「彼処《あそこ》へ避難所を拵《こしら》いて置いて、率《い》ざと云えば直ぐ逃げ出す用意はしていた。アナーキストでも地震の威力には協《かな》わない、」と笑った。

九月の上半は恐怖時代だった。流言蜚語《りゅうげんひご》は間断なく飛んで物情恟々《きょうきょう》、何をするにも落付かれないで仕事が手に付かなかった。大杉も引籠って落付いて仕事をしていられないと見えて、日に何度となく乳母車を押しては近所を運動していたから、表へ出ると

＊23 **帝劇**
五八頁参照。

＊24 **安成二郎**
歌人、小説家。一八八六（明治一九）～一九七四（昭和四九）。平民社に出入りしていた兄の影響で大杉と交流があり、大杉の死に際して死体検分と火葬に立ち会った。

＊25 **コダック**
アメリカの写真用品メーカー・コダック社製のカメラのこと。

番毎《ばんこ》に邂逅《であ》った。遠州縞の湯上りの尻絡《しりから》げで、プロの生活には不似合いな金紋黒塗《きんもんくろぬり》の乳母車を押して行く容子は抱えの車夫か門番が主人の赤ちゃんのお守をしているとしか見えなかった。地震の当座、私の家の裏木戸は大抵明け放しになっていたので、能く裏木戸からヒョッコリ児供を抱いてノッソリ入って来ては縁端へ腰を掛けて話し込んだ。

日は忘れたが或る晩、夜警の提灯《ちょうちん》を持って家の角に立ってると、買物帰りらしい野枝さんが通り掛って声を掛けた。左の手には大きな部厚《ぶあつ》の洋書を二冊抱え、右には新聞と小さな風呂敷包を下げていた。

「報知(*26)の夕刊を御覧なすって？」

「否《い》エ。」其頃はマダ新聞が配達されなかった。

「鎌倉は大変ですワ。八幡さまが潰れて大仏さまが何寸とか前へ揺り出しましたって。御覧なさいまし、」と手に持つ新聞を見せた。

提灯の照明《あかり》ではハッキリ解らなかったが、鳥渡覗《ちょっとのぞ》いて直ぐ返すと、

「お宅へ持ってらしって御覧なさいまし、」と頻りに云ったが、野枝さんも今買って来たばかりでマダ読まないらしいので無理に押返した。

「夜警は大変ですワネ。家から椅子を持って参りましょうか。イクラもありますから。」

「イエ、家にも持ってくれば有るんですが、面倒だもんですから。」

「然《そ》うですか。でもお草臥《くたび》れでしょうネ。大杉も御近所同士で家の角へ夜警に毎晩出ておりますワ。町内のお附合いですもの、」と野枝さんは云った。

＊26 **報知**　「報知新聞」。当時の代表的な日刊新聞。

能く大杉は夜警に出ると思ったが、実際毎晩ステッキを持って、自宅の曲り角へ夜警に出ていたのを見た。

（四）

鮮人襲来の流言蜚語が八方に飛ぶと共に、鮮人の背後に社会主義者があるという声がイツとなく高くなって、鮮人狩が主義者狩となり、主義者の身辺が段々危うくなった。此騒ぎを余所《よそ》に大杉は相変らず従容として児供の乳母車を推して運動していた。

「用心しなけりゃイカンぜ、」と或時邂逅《であ》った時に云うと、

「用心したって仕方が無い。捕《つか》まる時は捕まる、」と笑っていた。後に聞くと、大杉に注意したものは何人もあったが、事実此頃の大杉は社会運動からは全く離れて子守ばかりしていたから、危険が身に迫ってるとは夢にも思ってないらしかった。

或る夕方、夜警に出ていると、警官が四五人足早に通り過ぎながら、今二人伴れて来るから殴《ぶ》っちゃア不可《いか》んぞと呼ばわった。其頃の自警団は気が立っていて、警吏が検挙して来たものにさえ暴行を加えて憚《はばか》らなかったからだ。

誰か挙げられるナ、主義者だろうと、誰云うとなく予覚して胸を躍らしていると、軈《やが》て七八人の警吏が各々弓張《ゆみはり》を照らしつつ中脊《ちゅうぜい》の浴衣掛けの尻端折《しりはしょり》（＊27）の男と、浴衣に引掛け帯の女の前後左右を囲んで行く跡から四五十人の自警団が各々《めいめい》提灯を持ってゾロゾロ従《つ》

＊27 **尻端折** 四三頁参照。

いて行った。

　提灯の薄明りで夜目にはシカと解らなかったが、脊《せ》恰好《かっこう》が何となく似ていたので、「大杉じゃ無いか知らん、」と、ハッと思って急に不安になったので、大杉の家へ曲る角の夜警の集まりへ行った。そこにはいつでも警吏（＊28）がいた。

「今のは鮮人ですか？」と訊くと、「鮮人じゃない、」と誰かが答えた。

「ドコで挙げられたんですか、」と重ねて訊くと、「直ぐソコの自宅で挙げられたんだ、」と同じ人が答えた。

「大杉じゃ無いですか、」と思切って明らさまに訊くと、

「イヤ、大杉じゃ無い。大杉は家にいる、」と警察官らしいのが答えた。

　夫でヤッと安心したが、マダ何となく不安で、家へ帰って床に就いてからも警吏と自警団に護送されて行く男女の後姿が眼にチラクラした。（後に聞くと、此男女は直ぐ近所の近頃検挙された或る社会主義者の家の留守番をしている某雑誌記者で、女は偶然居合わした主義にも何にも関係の無いものだそうだ。此の男は沖縄人で相貌が内地人らしくないので疾《と》うから覘《ねら》われていたのだそうだと、当人が後に来ての話である。）

　其頃から大杉に対する界隈の物騒な噂が度々耳に入った。大杉は外国の無政府党（＊29）から資金を持って来て革命を起そうとしているとか、大杉は毎晩子分を十五六人も集めて隠謀を密議しているとか、「あんな危険人物が町内にいては安心が出来ないからヤッつけてやれ、」とか、或る近所の自警団では大杉を目茶苦茶に殴《なぐ》ってやれという密々の相談

＊28 **警吏**　警察官。

＊29 **無政府党**　無政府主義を主張する結社や政党。

があるとか、嘘《うそ》か実《まこと》か知らぬが然ういう不穏の沙汰を度々耳にした。随分相当分別のある人までが然ういう虚聞を信じて、私と大杉とが交際あるのを知らないで、「アナタのお宅の裏には大変な危険人物がいて、毎晩多勢《おおぜい》集って隠謀を企《たく》らんでるそうです、」と告げたものもあった。同じ近所の或る口利きの男は、之も大杉と私と友人関係であるのを知らないで、「柏木(*30)には危険人物がある、大杉一味の主義者を往来へ列《なら》べて置いて、片端《かたッぱし》からピストルでストンストン打ったら小気味が宜《よ》かろう、」とパルチザン然たる(*31)気《き》焔《えん》を吐いてイイ気持になってるものもあった。

　恁ういう危険な空気が一部に醸《かも》されてるのを知ってるのか知らないのか、大杉は一向平気で相変らず毎日乳母車を押していた。近所に住む大杉の或る友達が夫となく警戒したが、迫害に馴れてる大杉は平気な顔をして笑っていたそうだ。唯《ただ》笑ってるばかりならイイが、「俺を捕まえようてには一師団の兵が要《い》る、」ナドト大言していた。大杉には恁ういう児供げた見得を切って空言を吐く癖があったので、此の見得を切るのが大杉を花やかな役者にもしたが、同時に奇禍《きか》を買う原因の一つともなった。

(五)

　九月の十六日の朝九時頃、大杉は野枝さんと二人連れで、二人とも洋装で出掛けるのを家人は裏庭の垣根越しにチラと見た。直ぐ近くの聖書学院(*32)の西洋人だろうと思ってる

＊30 **柏木**　現在の新宿区西部で、西に神田川を挟んで中野区と接する地区。

＊31 **パルチザン然たる**　革命や外敵への対抗のために、非正規的に戦闘を行う者のような様子。

＊32 **聖書学院**　現在の東京聖書学院。一九〇二（明治三五）年に神田から新宿区柏木に移転した。

と、丁度遊びに来ていた魔子も後影を見ると周章《あわ》てて垣根の外へ飛び出したが、すぐ戻って来て、「家のパパとママよ、」と云った。

其日の午後魔子は来て「パパとママは鶴見《つるみ》の叔父さん(*33)許《とこ》へ行ったの。今夜はお泊りかも知れないのよ、」と云った。

夫ぎり大杉は姿を見せなかった。が、自分も其頃余り表へ出なかったから大杉を見掛けないでも格別気にも留めなかった。

二三日経つと大杉が検挙されたという風説が立った。其前にも地方から来た或る男が、大杉は拘留されて留置檻へ入れられたまま火事で焼死んだそうだネと云うから、大杉は直ぐ此の近所にいて、毎日乳母車を押して運動していると云って無根の風説を笑った事があるので、復《ま》た例の風説かと一笑に付していた。

すると其の翌る晩、十一時過ぎに安成が来て、「大杉が行方不明となりました、」と痛《ひど》く昂奮《こうふん》して、「十六日鶴見へ行ったぎりで帰って来ません。家でも心配して八方捜しているがサッパリ踪跡《ゆくえ》が解りません。検挙されたなら検挙されたでドコかの警察にいそうなもんですが、ドコの警察にもいません。警察では検挙したものを検挙しないと秘《かく》す事は絶対に無いので、全く警察にはいないようです、」と満面不安の色を湛《たた》えて昂奮して話した。

血腥《ちなまぐさ》い噂がそこら中に広がってる時である。女のような美術家が袋叩きにされて半死半生になったという噂も聞いている。温厚玉のような君子が歴《れっき》とした官職の肩書附きの

*33 **鶴見の叔父さん**
大杉栄の弟、大杉勇のこと。鶴見は現在の横浜市鶴見区。

名刺を示しても聞かれないで警察へ拘留されたという話も聞いている。況《ま》してや大杉のような官憲からも睨《にら》まれ民衆の一部からも呪《のろ》われてる人間は何時《いつ》どんな処で奇禍を買わないとも限らんから、行方不明になったと聞くと不安に堪えられなかった。

安成は、其日恰《あたか》も戒厳軍司令官を初め二三の陸軍の重職が交迭《こうてつ》し、一大尉一特務曹長が軍法会議に廻《まわ》されたという明日発表される軍憲の移動(＊34)を話して、恁ういう重職の交迭は決して尋常事《ただごと》では無い。余程の重大な原因が無ければばならない。当局者の言明に由《よ》れば数日前に突発した事件に関聯《かんれん》するというが、その突発事故というのは何だか、マダ発表を許されないと堅く緘黙《かんもく》している。が、ウッカリ当局者が滑らした口吻《こうふん》に由ると不法殺人であって、殺されたものは支那人や朝鮮人で無いのは明言するというのだ。

「どうも夫が大杉らしいのです、」と安成は痛く昂奮していた。

ヨモヤとは思うが、大杉は野枝と一緒に鶴見の弟の家から季《すえ》の妹の子を伴れて、弟に送られて川崎まで帰って来たのはタシカで、夫から先きが行方不明なのだそうだ。マサカに足弱《あしよわ》を連れて交通の不便な此際に野越え山越え行方を晦《くら》ましたとは思われない。ドコかに拘留されてるに違いないが、ドコの警察にもいないとすれば陸軍より外には無い。が、陸軍では知らないという。が、支那人でも朝鮮人でも無いものを殺した不法殺人で戒厳軍司令官初め二三の重職が解職され、一二の軍憲が司法へ廻されたという此日の突発事件はヨモヤとは思うがドウも大杉と関聯しているらしいというのが安成の憶測であった。

＊34 **軍憲の移動**

陸軍は九月二〇日付で、大杉栄殺害の実行者とされる甘粕《あまかす》正彦大尉らを軍法会議に送致したほか、複数の司令官や大佐を更迭や停職に処することを発表した。

が、其の翌る日も、其の又翌る日も魔子は相変らず遊びに来た。児供の事で周囲の不安には一向感じないらしく、毎日来ては家の児供と一緒に歌を歌ったりダンスをしたりして無邪気に遊んでいた。大杉の家もヤヤ人出入が繁《しげ》く取込んでるらしく想像されたが、安成も夫ぎり見えないので、不安を感じながら身辺の雑事に紛れていると、或時魔子がイツモの通り遊びに来ていると家から迎えが来て帰った。暫《しば》らくすると復《ま》た来て、新聞社の人が来て写真を撮ったのよと云った。新聞社が児供の写真を撮りに来たというは尋常では無いので、恐ろしい悲痛な現実に面する時が刻々迫って来たような感じがした。

　其翌日である、大杉の非業の最期が公表されたのは。恐ろしい予感が刻々迫って来て、恁ういう悲惨を聞く日があるのを予期しない事は無かったが、其日の朝刊の第一面の大活字を見た時は何とも云い知れない怖《おのの》きが身体《からだ》中を走るような心地がした。殊に軍憲から発表された大杉外二名の一人がマダ可憐な小児であると思うと、三族を誅する（＊35）時代の軍記物語か小説かでなければ見られない余りの残虐に胸が潰れた。

　朝の食卓は大杉夫妻を知る家族の沈痛な沈黙の中に終った。今日も魔子は遊びに来るかも知れないが、「魔子ちゃんが来ても魔子ちゃんのパパさんの咄をしてはイケナイよ。」と小さい児供を戒めた。何にも解らない小さい児供達も何事か恐ろしい事があったのだという顔をして、黙って点頭《うなず》いていた。

　暫らくすると魔子は果して平生《いつも》の通り裏口から入って来た。家人を見ると直ぐ「パパもママも死んじゃったの。伯父さんとお祖父《じい》さんがパパとママのお迎えに行ったから今

＊35　**三族を誅する**
三族は、例えば父、子、孫などの身近な三つの親族。罪を犯すとその人の三族までもが罰せられたり滅ぼされたりすることをいう。

日は自動車で帰って来るの、」と云った。お祖父さんというのは東京より地方へ先きに広がった大杉の変事を遠い郷里の九州で聞いて倉皇《そうこう》上京した野枝さんの伯父さんである。茶の間へ来て魔子は私の妻を見て復た繰返した。「伯母さん、パパもママも殺されちゃったの。今日新聞に出ていましょう。」

私は児供達に「魔子ちゃんのお父さんの咄をしてはイケナイよ、」と固く封じて不便《ふびん》な魔子の小さな心を少しでも傷《いた》めまいとしたが、怜悧《れいり》な魔子は何も彼《か》も承知していたが、物の弁《わきま》えも十分で無い七歳の子である。父や母の悲惨な運命を知りつつもイツモの通り無邪気に遊んでいた。同い年の私の児供は魔子を不便がったと見えて、大切《だいじ》にしていた姉様《あねさま》(*36)や千代紙を残らず魔子に与《や》って了った。

（六）

其日は大杉の遺骸が帰るというので、留守番だけの大杉の家へ二度も三度も容子を聴きに行った。此晩は大杉に親しいものだけが遺骸の前で通夜するという予定だったので、午後からは待受けしてポツポツ集まるものがあった。自働車の音の響く度毎《たんび》に耳を傾けたが、イツまで待っても帰って来なかった。其中《そのうち》に遺骸は直ちに自宅へ引取る筈《はず》だったが、余り腐爛しているので余儀なく直ちに火葬場へ送棺したと知らせて来た。

其の夕方、遺骸を引取って火葬場まで送った近親同志が帰って来た。待受けた我々は

＊36　**姉様**
女性の髪型をちりめん紙で作り、千代紙などの衣装を着せた紙人形。

官憲の口から語られたという大杉の殺害された顚末《てんまつ》や、引渡された遺骸が腐爛して臭気が鼻を衝《つ》いて近寄る事さえ出来なかったという咄を聞いた。大杉の思想の共鳴者で無くとも其の悲惨な運命には同情せずにはいられなかった。

其の翌々日の朝、大杉外二名の遺骨は小さな箱へ入れられて自宅に迎えられた。大杉は無宗教であったが、遺骨の箱の前に三人の写真を建て、祭壇を設けて好きな葡萄酒と果物を供えた。其晩は近親と同志とホンの少数の友人だけが祭壇の前に団居《まとい》して、生前を追懐しつつ香を手向けて形ばかりの告別式を営んだ。門前及び付近の要所々々は物々しく警官が見張って出入りするものに一々眼《め》を光らした。折悪しく震災後の交通がマダ常態に復さないので、電車の通ずる宵の中に散会したが、罪の道伴れとなった不運の宗《むね》一《かず》（＊37）の可憐な写真や薄命の遺子の無邪気に遊び戯れるのを見ては誰しも涙ぐまずにはいられなかった。大杉の一生を花やかにした野枝さんとの恋愛の犠牲となった先妻の堀保《ほりやす》子《こ》（＊38）も、イヤで別れたので無い大杉に最後の訣別《わかれ》を告げに来て慎ましやかに控えていたが、恋と生活とに痩《やつ》れた姿は淋しかった。（大杉と別れた後の堀保子は大杉は必ず再び自分の懐ろに戻ってくるものと固く確信して孤独の清い生涯を守っていたが、大杉が敢果《はか》なくなった後は其希望も絶えて、同棲時代からの宿痾《しゅくあ》が俄《にわか》に重って、去年の春終に大杉の跡を追って易簀《えきさく》（＊39）した。大杉の生涯は革命家の生血《なまち》の滴《した》たる戦闘であったが、同時に二人の女に縺《もつ》れ合う恋の三《み》つ巴《どもえ》の一代記でもあった。）

告別式の済んだ跡の大杉の家は淋しかった。遺子を中心として野枝さんの伯父さん老

＊37 **宗一**
大杉の甥である橘宗一。殺害された当時、六歳であった。

＊38 **堀保子**
社会運動家。一八八三（明治一六）〜一九二四（大正一三）。大杉栄の妻であったが、日蔭茶屋事件の二ヶ月後に離婚した。

＊39 **跡を追って易簀した**
易簀は高貴な人が死ぬことを敬っていう語。堀保子が亡くなったのは大杉の死から半年後のことであった。

夫妻と大杉の実弟と、大杉の異体同心たる数四の同志に守られていた。刑事の眼は門前に光って看慣れぬものは一々誰何《すいか》したから、誰もイイ気持がしないで尋ねるものが余り無かった。愈々《いよいよ》明日は一と先ず郷里へ引上げるという其前夜、長い汽車の旅の児供の眠気ざましにもと些《いささ》かの餞《はなむ》けを持って私の妻が玄関まで尋ねた時も誰何され、何の用事かと訊問《じんもん》された。

十月二日だった。五人の遺子は野枝の伯父さん老夫妻に伴われて此の恨《うらみ》の多い父の家を跡に郷里へと旅立った。親しい友や同志に送られて行ったが、魔子は先きへ立って元気よく「さよなら、さよなら！」と云って駆けて行った。パパもママも煙のように消えて了った悲みをも知らぬ顔の無邪気の後ろ姿が涙ぐましかった。

（大正十二年九月記〇大正十三年十月補筆〇改造社出版『大正大震火災誌』中所掲「甘粕対大杉事件」参照）

砂けぶり

「日光」第一巻第四号・第五号、大正一三年七月・八月（日光社）

釈 迢空（折口信夫）

砂けぶり（＊1）一

●

草の葉には、風が―、
日なたには、かげりが、
静かな午後にすぎる
のんびりした空想

●

沓《くつ》があびるほこり。
目金を昏《くら》くするごみ。

釈迢空《しゃくちょうくう》（一八八七明治二〇―一九五三昭和二八）
歌人。大阪府生まれ。国文学や民俗学研究で知られる折口信夫《おりくちしのぶ》の雅号。一九一〇（明治四三）年に東京根岸短歌会に出席し、伊藤左千夫から影響を受ける。一七（大正六）年に「アララギ」の同人となるが、二四（大正一三）年に北原白秋と共に「日光」を創刊し、「アララギ」と対立するようになる。関東大震災が起きたのは沖縄探訪の帰途で、九月二日朝に神戸港で大震災の噂を聞く。三日に横浜に上陸、帰路の途中で何度も残虐な状況を見た他、自らも自警団の者に取り囲まれた。

＊1 **砂けぶり 一**
「砂けぶり 二」の「二」は『日本雑歌集』（一九四七年）に入れる際に

人もなげに、大道にそり返る
馬の死骸

●

ほりわりの水。
どろりと青い。
あげ汐《しほ》の川が
道の上に流れる

●

横網《よこあみ》の安田《やすだ》の庭（＊2）――。
猫一疋《ぴき》居る　広さ。
人を焼くにほひでもしてくれ。
ひつそりしすぎる

●

赤んぼの死骸。
意味のない焼けがら――。
つまらなかつた一生を
思ひもすまい脳味噌

●

付けられたが、「砂けぶり　二」はここで新たに付けた。『日本雑歌集』に収録する際に、かなりの改変が行われている。

＊2　**安田の庭**
現在の墨田区にある安田庭園のことで、関東大震災の際に大きな被害を受けた。隣接して被服廠跡があった。

憎いきらびやかさも、
繊細のもつたいなさも、
あゝ愉快と言つてのけようか。
一挙に亡くなつちまつた

●

多田薬師（＊3）の太鼓
広重の安《あ》宅《たけ》（＊4）
消えつちまへ。きえちまへ。
昔からが　夢だ

●

そこ通るのは　だれだ——。
砂の上にいつぱいの月
まつさをな風——。
焼け土がうごく

●

おん身らは、誰《たれ》を殺したと思ふ
陛下のみ名において——。
おそろしい呪文《じゆもん》だ。

＊3　**多田薬師**
現在の墨田区東駒形にあった天台宗東江寺の通称。関東大震災で本堂が焼失したが、住職が本尊と法華経を背負って難を逃れた。現在は葛飾区にある。

＊4　**広重の安宅**
安宅は隅田川の新大橋が架かっているあたりの岸一帯を指す名称。浮世絵師の歌川広重が『名所江戸八景』で「大はしあたけの夕立」として描いたことから、「広重の安宅」といった。

陛下万歳　ばあんざあい

●

我らの死は、
涅槃《ねはん》を無視する—。
擾乱《ぜうらん》の歓喜と、
飽満する痛苦と—。

●

太初からの反目を
だれが批判するのか。
代々に祟《たた》る神。
根づよい　人間の呪咀《じゆそ》—

砂けぶり　二

焼け原に　芽を出した
ごふつくばりの力芝め。
だが　きさまが憎めなくなつた——。

たつた一かたまりの青々としたきさまだもの。

●

両国の上で、水の色を見よう。
せめてものやすらひに——。
身にしむ水の色だ。
死骸よ。浮き出さずに居れ。

●

そこにも　ここにも居たつけ——。
水死の女の印象。
黒くちぢかんだ藻の葉
日にすけて　静かな女の髪の毛

●

横浜からあるいて来ました。
疲れきつたからだです。
そんなに、おどかさないでください。
朝鮮人になつて了《しま》ひたい様な気がします。

●

深川（＊5）に来た。これが深川か。

＊5　**深川**　一六頁参照。

ああ　まつさをな空だ。
野菜でも作らうよ。
この青天井の下で――。

●

夜になつた。
また　蠟燭《らふそく》と、流言の夜だ。
まつくらな町を金棒ひいて、
夜警(*6)に出るとしよう。

●

井戸のなかへ
毒を入れてまはる朝鮮人――。
われ〳〵を叱《しか》つて下さる
神様のつかはしめだらう。

●

かあゆい子どもが、大道で、
びちや〳〵しばいて居た。
あの音。
不逞《ふてい》帰順民(*7)の死骸の――。

＊6　**夜警**
一七頁参照。

＊7　**不逞帰順民**
「不逞」は勝手気ままに振る舞い、法に従わないさま。「帰順民」は新しく従った国民ということ。一九一〇（明治四三）年の韓国併合以降、日本統治下で法に従わない朝鮮人が「不逞鮮人」と呼ばれた。関東大震災の際にも声高に叫ばれて、差別・虐殺を助長したことを受ける。

●

命をもつて目撃した
瞬間の芸術。
苦痛に陶酔した
涅槃の大恐怖。

◉解説　関東大震災が及ぼした社会的な影響

関東大震災は単なる天災ではなく、それに伴って数々の人災を発生させたことが注意される。メディアとしてラジオやテレビはまだなかったが、新聞や雑誌は生活の中に浸透していた。しかし、震災によって多くの新聞社・出版社や印刷所が被災し、機能が停止してしまった。そうした中で、単なる噂ばかりでなく、話に尾鰭《おひれ》を付けた流言飛語が一挙に広まって、それが悲劇を拡大することにつながったと考えられる。

劇作家の小山内薫は関西の六甲にいて、震災を目のあたりにはしなかった。そこで、「道聴途説」では、自らの体験を書くのではなく、有名無名な人の体験を聞く側に回って、文章をまとめた。「寺木夫人」は、第二章の久米正雄「鎌倉震災日記」に書かれた女優・衣川孔雀の哀話である。「荷風君の夜警」は、第五章で取り上げる永井荷風「断腸亭日乗」と重なる。「私の家」は、自身の転居の遍歴を挙げ、それらの家がほとんどなくなったことを記す。東京に生まれ育った者にとって関東大震災は、故郷の喪失を意味したのである。

小説家の里見弴は小説家の有島武郎、洋画家の有島生馬の弟であり、第一章の泉鏡花「露宿」にも見えた人物で、倒壊した旅館から辛くも逃げ出したという避難の際の武勇伝が話題になった。「噂する本能（震災覚書その四）」に「（震災覚書その四）」とあるのは、震災に関する文章を違う雑誌に書いたが、その四番目という意味である。電信・電話・新聞などのメディアが破壊されると、人々は噂という本能を発揮する。それはでたらめな流言飛語だったが、それならば噂の改良はどうしたらいいかという問題提起を述べる。

小説家・劇作家の菊池寛にとって、震災の年は雑誌「文藝春秋」を創刊するなど、変化の年でもあった。日本橋から本郷へ帰るときに被災したが、辛くも助かった。「災後雑観」では、震災を機縁にして人間の無力さを唱えた。室生犀星のように東京を離れることも考えたが、妻の出産や雑誌の再刊でできなかった。

詩人・小説家の佐藤春夫は、詩人の堀口大学とともに東京の大森で被災したが、無事だった。「所謂「サーベル礼讃」」は、震災時に戒厳令が出て、警察・軍隊・憲兵が出動したことを踏まえる。「所謂主義者」というのは社会主義者や無政府主義者を指すが、そうした者たちが雑誌に書く場を規制しようと訴えた。彼らの急速な台頭を畏怖したが、すでに時代は動いていたと言っていい。

評論家の内田魯庵の「最後の大杉」は、憲兵大尉の甘粕正彦によって、無政府主義者の大杉栄と内縁の妻の伊藤野枝、甥の橘宗一が殺害された事件を受けている。内田は、大杉が近所に転居してきて親しい交際があったので、大杉の穏やかな家庭生活を書いた。大杉は活動を展開しようとしていたが、内田が見た子煩悩な姿も彼の一面であったことは間違いない。

歌人・民俗学者の釈迢空（折口信夫）は、沖縄から台湾を回って東京に帰る途中だった。その後、四行詩の形式で作ったのが「砂けぶり」である。「安田の庭」は安田財閥の庭のことで、隣接する被服廠の跡地では多くの人が亡くなり、そこで荼毘《だび》に付したことを踏まえている。それに朝鮮人虐殺に対する憤りを重ねて、一編の詩が生まれた。単行本に収録する際に多くの語句を改めているが、本書は初出で掲載した。

しかし、文豪たちの文章では、大杉栄らの虐殺事件や六千人を超えるといわれる朝鮮人の虐殺事件がさらに検証されることはなかった。同時代には、政治学者の吉野作造の「朝鮮人虐殺事件に就いて」が出された程度である。ましてや、平沢計七ら一〇人の社会主義者と自警団員四人を虐殺した亀戸事件、留学生の王希天《おうきてん》を含む七百人を超えるとされる中国人の虐殺事件、朴烈《ぼくれつ》と金子文子《ふみこ》を検束して死刑判決が下ったということが俎上に上ることはなかった。それは文豪たちの限界だったと言ってしまえばそれまでであり、雑誌の特集もまもなく日常的な話題に戻っている。彼らの関心は事実をさらに追究することではなく、社会状況を主体的に受け止めて作品にすることだったとわかる。その後、日本は軍国主義によるさらなる混迷の時代に進んだため、こうした虐殺事件が本格的に検証されるのは戦後の一九六〇年代になってからだった。

第四章 取材するジャーナリスト

東京災難画信(＊1)

「都新聞」大正一二年九月一五日・一九日

竹久夢二

浅草観音堂のおみくじ場

浅草観音堂を私は見た。こんなに多くの人達が、こんなに心をこめて礼拝している光景を、私ははじめて見た。

琴平様《こんぴらさま》(＊2)や、増上寺《ぞうじょうじ》(＊3)や、観音堂(＊4)が焼残ったことには、科学的の理由もあろうが、人間がこんなに自然の惨虐に逢って智識の外の大きな何かの力を信じるのを、誰が笑えるでしょう。

神や仏にすがっている人のあまりに多いのを私は見た。

観音堂の「おみくじ場」に群集して、一片の紙に運命を託そうとしている幾百の人々

竹久夢二(一八八四 明治一七—一九三四 昭和九)

画家、詩人。岡山県邑久《おく》郡本庄村(現・瀬戸内市)生まれ。本名茂次《もじ》郎《ろう》。神戸中学校を中退後、家出して上京し、早稲田実業学校に入学。「東京日日新聞」や「早稲田文学」「平民新聞」などで活躍した。感傷的な詩文や挿絵を発表し、美人画は夢二式美人と呼ばれ、明治末期から大正にかけて流行した。画集に『春の巻』『夏の巻』、詩歌集に『どんたく』などがある。

＊1　**東京災難画信**
九月一四日から一〇月四日まで「都新聞」(現・「東京新聞」)に二一回にわたって掲載された。夢二は連載中の小説「岬」を中断し、震災翌日の九月二日から瓦礫の山の中をスケッ

を私は見た。それは必ずしも日頃神信心を怠らない老人や婦人ばかりではない。白セル（＊5）の洋服のバンドにローマ字をつけた若い紳士や、パナマ帽（＊6）を被った三十男や、束髪を結った年頃の娘をも、私は見た。

　その隣で売っている、「家内安全」「身代隆盛」加護の御符の方が売行が悪いのを、私は見た。この人達には、もはや家内も身代もないのであろう。今はただお御籤《みくじ》によって、明日の運命を占っているのを私は見た。

チして歩き、ペン画と文章で焦土と化した東京の町と生き延びた人々の営みを記録した。他「婦人世界」「改造」「週刊朝日」など数々の媒体に文章を寄せている。

＊2　**琴平様**
現在の東京都港区虎ノ門にある神社。金刀比羅宮。

＊3　**増上寺**
現在の東京都港区芝公園にある寺院。浄土宗の大本山。江戸時代には徳川家康の帰依をうけて徳川家の菩提所となった。

＊4　**観音堂**
一四頁参照。

＊5　**白セル**
和服の生地に多く使われた毛織物。大正から昭和初期にかけて大流行した。

＊6　**パナマ帽**
パナマ草の若葉を使って編んだ夏用

自警団遊び

「万《まん》ちゃん、君の顔はどうも日本人じゃあないよ」豆腐屋の万ちゃんを摑《つかま》えて、一人の子どもがそう言う。郊外の子供達は自警団(*7)遊びをはじめた。

「万ちゃんを敵にしようよ」

「いやだあ僕、だって竹槍で突くんだろう」万ちゃんは尻込みをする。

「そんな事しやしないよ。僕達のはただ真似《まね》なんだよ」そう言っても万ちゃんは承知しないので餓鬼大将が出てきて、

「万公！敵にならないと打殺すぞ」と嚇《おど》かしてむりやり敵にして追《おっ》かけ廻しているうち真実《ほんとう》に万ちゃんを泣くまで殴りつけてしまった。

　子供は戦争が好きなものだが、当節は、大人までが巡査の真似や軍人の真似をして好い気になって棒切を振りまわして、通行人の万ちゃんを困らしているのを見る。

　ちょっとここで、極めて月並みの宣伝標語を試みる。

「子供達よ。棒切を持って自警団ごっこをするのは、もう止めましょう」

の帽子。明治三〇年代から普及していった。

＊7　**自警団**
火災・盗難などから自らを守るために組織された民間団体。関東大震災時には、朝鮮人暴動の流言が広がったことによって自警団が結成され、朝鮮人が虐殺されたとされる。

新方丈記

「婦人世界」第一八巻第一〇号、大正一二年一〇月（実業之日本社）

竹久夢二

1

東京は私の住む郊外でさえ、日のうちは蟬も鳴かず、鳥さえ飛ばなくなってしまった。初秋《はつあき》の夜のただささえ寂しいに、さすがに虫も、音《ね》を忍んで鳴いている。震災以来蚊もあまり出なくなった。

浅草観音堂の鳩は、どうしているだろう。火事と聞いて私はすぐそう思った。往って見ると、施米《せまい》のこぼれを拾って僅かに生きていた。それでも騒ぎのあった最中には、餌がなくて疲れてひょろひょろになっていたのを、境内へ避難して飢えた人に、大部分は殺されたそうだ。

猫は魔物だと世俗にいう、こんな度の火事に猫は何処かへ逃げたものか、姿も見せなければ、死骸も見ない、馬や犬のような人なつこい動物は、飼主と共に殉死した死骸を到る所で見かける。人間の死はあまり直接で、哀れんだり嘆いたりする以上の強い感動のためかまだ私にははっきり心に来ない。被服廠跡(＊1)の死骸の波を見た時にさえ私は、ただ悄然《しょうぜん》として考える事を知らなかったが、焦土に化した東京の街跡を歩いていて、小動物とか、小さい草や木の生存に、何かしら心が引かれるのを覚える。京橋の大根河岸(＊2)に一本残った柳の木、車坂(＊3)に残った小さい芋畑、築地《つきじ》河岸《がし》で見た一茎の草花をいじらしく眺めた。

2

灰色の東京を見下して、最も心づよく眼に

＊1　**被服廠跡**
一四七頁参照。

＊2　**京橋の大根河岸**
江戸京橋の西側の河岸。現在の東京都中央区京橋・八重洲の一帯。青果市が開かれていたことによる呼称。

＊3　**車坂**
現在の東京都台東区上野・東上野にあたる地名。

うつるものは、緑の立木である。上野公園(＊4)、芝公園(＊5)、日比谷公園(＊6)、山王の森(＊7)、愛宕《あたご》山《やま》(＊8)、宮城《きゅうじょう》等を見渡すとき、これ等の森の木が、どんなに猛火と戦ったかを、今更のように感ぜずにはいられない。それにつけても、新しく造られる大東京は、緑の都市でなくてはならない。

清水公園を宅地に開放したり、弁慶橋を撤廃して堀を埋めて住宅を造るという議があったが、そんなにまで人間が、自然の風光を無視して、利殖のために、ただささえ住みにくい東京をもっと狭苦しく趣きのないものにしようとした俗吏達も、いまは思い知ったであろう。

3

戦勝以来一躍して世界の日本帝国になって、その商業主義、唯物主義が所謂文化の絶頂を示した観があったが、自然の一揺《ひとゆす》りに、一瞬にしてぴしゃんこになってしまった。しかし破壊されたのは建築物に過ぎない、所謂《いわゆる》文化はまた再び栄えるに違いない。あやしげな文化建築、文化風俗、文化何々と。それにしても、こん度の災害はまだまだ我々の祖先が経験した、たとえば一朝にして富士山が近江《おうみ》の国から飛んだり、中禅寺湖から妙義山《みょうぎさん》がけし飛んだような、地理的変動に比べれば、やさしいものだ。人畜の損傷の多かったのは、電気、瓦斯《ガス》、水道、油等など謂《あら》ゆる文明の利器が生んだ機械文明が力をか

＊4 **上野公園** 一三頁参照。

＊5 **芝公園** 五九頁参照。

＊6 **日比谷公園** 五六頁参照。

＊7 **山王の森** 現在の東京都千代田区永田町にある日枝神社の森。

＊8 **愛宕山** 八二頁参照。

したことも間接の原因になっている。

4

山の手の方から下町の被害地を見物に出かける婦人達は、みんな親の仇《あだ》を打つような格好で、襷《たすき》がけに足袋《たび》はだしだ。一番悪い着物をきて歩くというのも世間への遠慮であろう。大東京建設のために、失った家庭を再興するために、婦人達が生活を簡素に、衣食住を質実にすることは好いことに違いないが、東京の若い女達が、喪に逢った未亡人のように、断髪にしたり、色彩のない着物をきたりするにも及ぶまい。どんな質素な衣服は作るにしても、優雅と趣きを失わない心掛はもってほしい。金の高いものを身に着けなければ三越《みつこし》、白木《しろき》で流行と称するものを持っていなければ、肩身を狭くおもっていたような、つまり商業主義の犠牲になっていた婦人達も、これからは、金で品物を買わないで頭で買わなくてはならない。つまり自分の趣向を持って生活する時がきたわけだ。

幾日かのテント生活の経験は、私達に原始的な素朴な勇敢な気性と、同時に、最も進歩した未来の生活を暗示した、善き教訓を与えた。私達は多くの家族と、種々の家庭が、急造のテントの下で、相扶《あいたす》け相励まして、一つ釜で一つの火で食事をした。一つの火を中心に幾家族かが、生活することは、やがて来る時代を暗示しているとおもう。火の用心から言って、主婦の能率増進の上から、社交和楽の点から、この得がたい経験を生かしたいものだとおもう。

5

方丈記(*9)の昔にも「勢ひあるものは貪欲深く、ひとり身になる者は人に軽しめらる。宝あれば恐多く、貧しければ歎き切なり。頼めば身他の奴《やっこ》となり、人をはごくめば心恩愛につかはる。世に従へば身苦し、また従はねば狂へるに似たり。いづれの所をしめ、いかなる業をしてか、暫しこの身をやどし、玉ゆらも心をなぐさむべき」と書いてある。幾干《いくばく》もない私の交友の中でさえ、人の心が荒《すさ》み尖《とが》って、ある人は、その温情が、堪えぬばかり感傷的になり、絶望的な厭世を起したものがあり。またある人は、ただもう眼前の生活の威嚇に、持っている物は放すまいとし、取れるものならみんな自分の物にしようとするのだ。命ばかりを取とめて、すべてを失ったものは、すべての欲がなくなったようだし、少しでも被害の少いもの、何がしを取残したものは、いやが上にも、所有しようとしているのを私は見た。

横浜で、ある会社の社長が柱の下敷になって、「金はいくらでも出す助けてくれ」と言ったのを見殺しにして、隣りの芋屋の家族と自分の主人達を救った、勇敢な若者を私は見た。この社長が助からなかったのは、いろいろな意味で残念だが、金はいくらでも出すという人が金を出したためしはない。

*9　**方丈記**　一二九頁参照。

6

私達にとって欧州戦争(*10)は、対岸の火事ほどの実感もなかったが、こん度の震災で、ほんとうに、世界思想の推移をはっきりと見たようにおもう。我等は何を成すべきかを、私どもは、ことに新しく考えねばならない。

（九月十九日）

*10 **欧州戦争** 第一次世界大戦。一九一四年から一九一八年にドイツ・オーストリアなどの同盟国とイギリス・アメリカ・フランス・ロシアなどの連合国との間で起きた世界戦争。

帰路

『東京震災記』大正一三年四月（博文館）より抜粋

田山花袋

私は昔、学生時代に往来した近路を選びながら、牛込から市谷を横ぎって、幽霊坂を下って、そのまま四谷の方へと出て来た。

そこらでも焼けないというだけで、混乱と不整と喧騒とが街上に漲《みなぎ》りわたっているのを私は到るところに見た。誰も彼もわくわくしていないものはなかった。気も顛倒していないものはなかった。胡枝花《こしか》(＊1)が静かに咲いていても、木犀《もくせい》が馥《かん》ばしく匂っていても、小鳥が鈴のように囀《さえず》っていても、初秋の晴れた空が碧《あお》く美しく林間から見えていても、そんなものに注意するものは誰もなかった。そこでも此処《ここ》でも人は立って話していた。「命からがらやっと此処まで逃げて来た」泥だらけになった浴衣《ゆかた》がけで、垣の外に立ちながら話合っているものもあれば、「ああ無事だったか、お前は無事だったが、その無事の顔を見さえすれば、もう何も入らん、何も入らん！」こう興奮して若い女の前に立

田《た》山《やま》花《か》袋《たい》（一八七一 明治四―一九三〇 昭和五）小説家。栃木県邑《おう》楽《ら》郡館林町（現・群馬県館林市）生まれ。本名録弥。一八八一（明治一四）年に京橋区（現・中央区）南伝馬町の有隣堂書店の丁稚として上京したが、翌年、館林に帰る。八六年、兄の実弥登が修史局に勤めたため、一家で東京の牛込区（現・新宿区）富久町に移住した。九一年から小説を発表し始め、自然主義文学の地位を築いた。代表作の『蒲団』は最初の私小説とされ、その後の自然主義文学に大きな影響を与えた。

＊1　**胡枝花**　萩の漢名。

っている男などもあった。到るところで悲しみと喜びとが絡《から》み合い、嗚咽《おえつ》と欷歔《ききょ》とが雑《まざ》り合い、心と情とが縺れ合った。

「もう私なんか何も入らない……。着物も入らない。ダイヤもいらない。」こう言って暫しの間、抱き合って声を惜まず泣いているような人達などもあった。

あるところでは、焼出しの場所の中に、長い列をつくって入って行って、やっと結飯《むすびめし》を貰って来て、「三日目でやっと食うものにあり附いた」と言ってがつがつと旨そうに食っているものなどもあった。しかも皆は物を失った、またはあらゆるものを焼いて了《しま》った人のようには見えなかった。「なァに、そんなことは何《ど》うで好いやい。生命からがら遁《に》げて来たんだい！　まごまごすりゃ、この体さえ焼けて了うところだったんだい」などと言って、路傍に出ている水甕の水をガフガフ飲んだりなどした。かと思うと、何《ど》処《こ》かの女学校の寄宿舎あたりから焼け出されて来たのであろう、夜具だの、行李《こうり》（＊2）だの、本箱だのを一台の車に積んで、女袴のもも立《だち》を取って、いかにも効々《かいがい》しく、安全地帯までは何処までも遁《のが》れて行くことをやめないというように、馬車や自動車の混雑する間を縫って急いで郊外の方へ行く女の学生達をも見懸けた。中でも気の毒なのは、一人二人の外国人であった。行くところとてもなさそうなのに、さびしけに、人に雑り人に押されて、不知案内の土地を何処までも何処までも彷徨《さまよ》うように歩いて行った。

阪から下りた低い窪地では、家屋が全く潰れて――蟹の甲羅か何ぞのようにペシャンコに潰れて、通りを通るのにもいろいろなものを避けねばならないようになっていた。

＊2　**行李**
旅の荷物を入れる物。

かと思うと、潰れた二階が依然として原形を存しているので、取敢えずそこをその住宅にして住んでいるような人達などもあった。「よく此処は焼けなかったね？　一日にはいくらか燃え出したっていうじゃないか？」こう肥った五十先の女が訊《き》くと、「や、もう何ともお話しにならない……。このくらいなら、結局焼けた方が綺麗さっぱりして好かったかも知れない……。やっとこさと消すには消したが、これじゃ何うにもこうにもなりやしない！」跣足《はだし》で歩きながらこんなことを言っているものなどもあった。

焼跡では何も売っているものなどはなかったが——牛込あたりでも西瓜《すいか》ぐらいしか食うものはなかったが、四谷に来ると、それでもビスケットなどを売っている店がそここにあった。次第に人達は食糧に対して敏感になって来たらしく、逸早く米を買っているものなどを其処此処に見かけた。

関東大震災直後

『荻窪風土記』昭和五七年（新潮社）より抜粋

井伏鱒二

話は前後するが、関東大震災のことを書かなくてはならぬ。

大正十二年九月一日。あの日は、夜明け頃《ごろ》に物すごい雨が降りだした。いきなり土砂降りとなったものらしい。私はその音で目をさました。雨脚の太さはステッキほどの太さがあるかというようで、話に聞く南洋で降るスコールというのはこんな太い雨ではないかと思った。（中略）

地震が揺れたのは、午前十一時五十八分から三分間。後は余震の連続だが、私が外に飛び出して、階段を駆け降りると同時に私の降りた階段の裾が少し宙に浮き、私の後から降りる者には階段の用をなさなくなった。下戸塚で一番古参の古ぼけた下宿屋だから、二階の屋根が少しのめるように道路の方に向って傾《かし》いで来たように見えた。コの字型に

井伏鱒二《いぶせますじ》（一八九八 明治三一 — 一九九三 平成五）

小説家。広島県安那《やすな》郡加茂村《かもそん》（現・福山市）生まれ。本名滿壽二。一九一九（大正八）年に早稲田大学予科に入学し、上京。仏文学科に進学したが、三回生のときに休学して帰郷する。半年後に再度上京するが、復学が叶わず退学している。その後は出版社に勤めるなどしながら作品を発表し、二八（昭和三）年「鯉」、二九年「山椒魚」を発表した頃から文壇に認められた。その他の代表作に原爆投下後の広島を描いた『黒い雨』などがある。

出来ている二階屋だから、倒壊することだけは免れた。（中略）
お上《かみ》さんは米屋が白米を売ってくれないからと言って、玄米を少し入れたビールの空《あき》瓶《びん》と棒切れを止宿人の数だけ持って来て、みんなお互に自分の食べる分だけこの棒で米を搗《つ》いてくれと言った。弱り目に祟《たた》り目で、出入りの米屋が仕入不能のため玄米しか売ってくれないと言う。私は食欲がないのでビール瓶はそのままにして、すこし無謀だと思ったが、毀《こわ》れた階段を這《は》って壁の崩れた自分の部屋に入って、カンカン帽（＊1）と財布と歯楊子と手拭を持って階下に降りて来た。廊下の壁は、上塗が粉々になっているものと、大型に剝がれているのと二種類あった。お上さんに訊《き》くと、止宿人たちが夏休みで帰郷している間に塗りなおした壁は大きく剝がれ、冬休みで帰郷しているとき塗りなおした上壁は粉々になっていると言った。同じ左官屋に請負わした仕事だそうだ。
鳶職人《とびしょくにん》が数人やって来て、半ばのめりかけていた家の梁《はり》に丸太の突支棒《つっかいぼう》をして、一つ一つ根元を木の楔《くさび》で留めた。ただこれだけのことで、しっかりした感じが出た。鳶職たちの話では、ある人たちが群《むれ》をつくって暴動を起し、この地震騒ぎを汐《しお》に町家の井戸に毒を入れようとしているそうであった。私は容易ならぬことだと思って、カンカン帽を被《かぶ》り野球グラウンドへ急いで行った。小島君は一塁側の席の細君のところにいた。私が井戸のことを言う前に、小島君が先に言った。スタンドにいる人たちも、みんな暴動の噂《うわさ》を知っているようであった。彼等が井戸に毒を入れる家の便所の汲取口《くみとりぐち》（＊2）には、白いチ

＊1　カンカン帽
麦わらを編んで作った、上部が平らでつばのついた男性用の帽子。男性だけの夏のフォーマルな帽子として、大正中期から昭和初期にかけて普及した。

＊2　便所の汲取口
便所に溜まった糞尿を取り除く口。ここからひしゃくを使って汲み出された糞尿は、農業の肥料として使用された。

ヨークで記号が書いてあるからすぐわかると言う人がいた。その秘密は軍部が発表したと言う人もいた。

その当時、早稲田界隈《かいわい》の鶴巻町《つるまきちょう》や榎町《えのきちょう》などでは、旧式の配水による内井戸（＊3）を使っている家と共同井戸（＊4）を使っているところを見かけたが、下戸塚などの高台では一様に手押しポンプで板の蓋《ふた》を置いた井戸を使っていた。蓋を取れば井戸のなかが丸見えで、毒を入れられたら一溜《ひとたま》りもない。

日暮れが近づいて、小島君の細君は両親と一緒に帰って行った。そのときには、もう空いちめんに積乱雲がはびこって、下町方面は火の海になっていた。その間にも余震は絶えないのである。私は子供のとき近所の農家が燃えるのを見ている間じゅう、ずっと五体が震えつづけるのを感じていた。そのことを小島君と話し合ったりして、二人は一緒に、下町の方の火の海がよく見える三塁側スタンドに移って行った。

積乱雲は日が暮れると下界の火の海の光りを受けて真赤な色に見え、夜明け頃になるとすっかり黒一色に変り、朝日が出ると細かい襞《ひだ》を見せる真白な雲になる。はっきりと赤、黒、白と、変幻自在に三通りの色に変って行った。

この日、夜が明けてから下宿に引返し、離れの粗壁《あらかべ》・板敷の部屋に臥《ね》た。震災二日目である。夕方までぐっすり寝て、日が暮れてから三塁側スタンドへ出かけて行くと、昨日と同じところに小島君がしょんぼり腰をかけていた。暴動のことを訊くと、大川端の方で彼等と日本兵との間に、鉄砲の撃ちあいがあったそうだと言った。もし下戸塚方面

＊3 **内井戸**
家の中にある井戸。

＊4 **共同井戸**
地域で共有している井戸。住宅が密集する地域によく見られ、炊事や洗濯などに使用された。

で撃ちあいが始まったら、我々はどうなるかという不安が強くなった。どこへ行くあてもない。小島君は握飯を食べると言って、水筒を肩からはずしニュームの弁当箱(＊5)を取出して、握飯を蓋《ふた》に入れたのを私に持たせて会食を始めた。梅干を入れた普通の握飯だが、これは食欲不振というような抵抗は皆無で美味《おい》しく食べられた。

日が沈むと、昨日と同じように下町の方の火の海が空の積乱雲を真赤に見せ、夜明けになると雲は黒く変色し、太陽が出ると白い雲に見えた。私は三日目も野球場のスタンドで小島君と一緒に夜を明かした。東京の街は三日三晩にわたって、火焔地獄《かえんじごく》を展開したのであった。

「あの火の海で、三日間のうちに火柱を高く噴いたのは、日本橋の白木屋が燃えるときと、帝大の大講堂が燃えるときだった」と小島君が言った。コンクリート建の大廈高楼《たいかこうろう》(＊6)は焔《ほのお》を高く噴きあげる。

四日目には、燃えるものは燃えてしまった。積乱雲は熱気と関聯《かんれん》があるせいか、四日目にも空に出た。地震は月の盈昃《えいしょく》(＊7)と関聯《かんれん》があるかも知れぬ。私は四日目の夜、下宿のお上さんが出したビール瓶の玄米を搗棒で搗いて、五日目に味噌汁《みそしる》で不味《まず》い朝飯を食べた。腹ごしらえが出来たのでカンカン帽を被り、焼けただれた焼跡を辿《たど》りながら市電の万世橋終点までまっすぐに歩いて行った。そこから方向を変え、春日町《かすがちょう》から白山《はくさん》を通って、小石川植物園近くに私の従兄《いとこ》の下宿している家を訪ねた。ここは大した被害がなかった。庭の隅《すみ》に埋《い》けてある大きな水甕《みずがめ》の水が、地震のとき飛沫《ひまつ》を跳返らして金魚を地面

＊5　**ニュームの弁当箱**
アルミニウムでできた弁当箱。大正時代に開発された。

＊6　**大廈高楼**
大きくて豪華な建物。

＊7　**盈昃**
満ちることと傾くこと。

に飛出させたそうだ。地震のとき役所にいた従兄は、窓から偶然、目の前の東京駅のドームの屋根が波をうつのを見たが、破損したところは一つもなかったと言った。従兄は勤先の鉄道省へ出かける間際《まぎわ》だったので、家を一緒に出た。竹橋のところで分れて来るとき、もし丸の内の郵便局が事務をしていたら、私の郷里の生家へ私のために電報を打ってくれると言った。

（その電報は、一週間あまり経過して、私が中央線廻《まわ》りの名古屋経由で郷里（＊8）に帰って三日目に、私のうちへ郵送された。電文用の用紙でなくて、従兄のカンカン帽の裏を剝がした紙片に、「マスジブジ」とだけ書いてあった。丸の内郵便局の窓口には頼信紙もなかったらしい）

竹橋のところはお濠《ほり》の水がすっかり乾上《ひあ》がって、人のむくろがそこかしこに散らばっていた。有名な店屋のしるしがついている買物包みをぶら下げて、盛装して仰向けに倒れている女体が石垣のすぐ真下に横たわっていた。目に見える限り、女はすべて仰向けになっている。男はすべて俯伏《うつぶ》せになっている。この人たちはお濠に水がいっぱいあるときこゝへ逃げこんで、火炎で一と嘗《な》めにされた後に、お濠は排水されたかと思われる。私はお濠の向うの石垣を見ているうちに、頭がふらふらになったのを覚えている。（後略）

＊8 **郷里** 広島県安那郡加茂村の実家を指す。

変った東京の姿　焼跡細見記

「九州日報」大正一二年一〇月八日

杉山泰道《やすみち》（夢野久作）

神田橋と丸の内　漂う殺風景な気分と色

今度の地震が天の試練であったならば天は無用の試練をしたものと云わねばならぬ。今度の火事が或る種の主義者の企てであったならば却て反対の結果を招いたと云わねばならぬ。赤裸々の日本人は決して醜くなかった。攪乱《かくらん》された人々は当局も共々に打って一丸となって無主義無道徳の真の秩序に入った。少くとも記者の入京当日の東京市は未だ曽て歴史に記録された事の無い貴重な崇高なそして飽く迄《まで》も単純な文化状態に在った。記者の言葉が誇張であるならば今度の大震災も誇張と云っていいであろう。東京は昔の

夢野久作《ゆめのきゅうさく》（一八八九 明治二二―一九三六 昭和一一）

小説家。福岡県福岡市生まれ。本名は杉山直樹。慶應義塾大学予科文学科を中退後、福岡県香椎《かしい》で農園を経営。出家して名を泰道《たいどう》と改めたが、還俗した。その後「九州日報」の記者となった。九州日報記者として上京し、多くのスケッチを残した。父・茂丸の自宅（築地）が炎上する被害に遭っている。作風は怪奇幻想のファンタジーで、代表作に『ドグラ・マグラ』がある。

様に繁華にならない方がいい。あんな罪悪の府に立ち帰らせ度くないと染《し》み染《じ》み思った位である。

ガードを潜ると左角の自動車会社が黒こげになって居る。大きな石材やパイプや鉄板や車輪なぞがユラユラと幾筋も立ち昇る残煙の間に折重なって居る。其影は直ぐ近くの水たまりになってさながらに写真で見た欧州大戦（＊1）の被占領地である。其左手に出入りする人も無い東京駅と其前の取り散らされた広場がある。其向うに崩壊を免れて立ち並ぶいくつかの大ビルディング、並木、夥《おびただ》しい人や自動車のうごめき、それ等は一寸《ちょっと》見た処昔の通りの様であるが其間に漂う気分はまるで違って、飽く迄も殺風景で物々しいものであった。

力の無い顔色の陳列　十人十色の群

永楽町（＊2）を通ると此処《ここ》も昔の通りの見事な建築と柏の並木がある。しかし其敷石には処々ヒビが入って居る。建物のつけ根にはメジロ押しに人間が並んで立ったり座ったり足を屈《ま》げたり投げ出したりして居る。よく見るとそれは避難民と労働者と、見物人とゴッチャになって居るらしく、いずれも日に焼けほこりにまみれてアルコール漬の様な力の無い顔色をし乍《なが》ら敷石を見つめて居るのもある。並木の間から空を仰いで居るのもあ

＊1　**欧州大戦**　一八九頁参照。

＊2　**永楽町**　現在の千代田区丸の内・大手町にあたる地名。

る。口を開いて青ざめて眠って居るのもある。又はぼんやりと往来の向い側の往き来を見つめて居るのもある。遠慮なく批評をすれば手を出さない乞食の群と云ってもいいであろう。彼等の前に投げ出された竹の皮、果物皮、梅干の種子《たね》、新聞紙、煙草の吸殻は何時も掃除されない為に一種酸っぱい様な咽喉《のど》に立つ様な、においを風の無い午後の日かげに漂わして居る。

展開された大地震の錦絵　遠望の駿河台

左手の和田倉門(＊3)の上の櫓《やぐら》は大筋かいに傾いて居た。屋根瓦は辷《すべ》り白壁は破れ落ちて見る影も無い。門前に架かった木橋は扉から三間ばかりの処でガックリと下に折れ落ちて青い満々たる水とすれすれになって居る。只《ただ》橋板がつながって居ると云う丈《だ》けであるが、それでもボツボツと人が渡って居る。此傾き破れた古風な建築と、崩れた石垣はつやつやと重なり合う松の緑と相対して、さながらに安政の大地震の錦絵(＊4)を見る心地がした。左手馬場先のあたり数百の人を殺した内外ビルデング、帝劇、二重橋の入り口なぞが見えるが後日にまわした。何でも右へ行けば大きな横町が真直ぐに一つ橋へ抜けて居るると思ってつい神田橋の袂《たもと》に出た。向うは一面に神田の焼けあとで地震が加わって居る丈けに先年の大火事の朝より非道《ひど》い様である。はるかに望む駿河台の高地は只一面の焼け木

＊3　**和田倉門**
宮城（皇居）の東側の外濠に面した門。

＊4　**安政の大地震の錦絵**
一八五五（安政二）年旧暦一〇月二日、江戸を中心に近辺諸国を襲った大地震で、七千人以上の死者を出した。その被害の様子が「鯰絵《なまずえ》」と呼ばれる錦絵として多く出版されている。一五七頁参照。

焼け石の断続となって層々累々と西日に輝いて居る。大東京の中央区駿河台上の翠緑の中からすべての建物の群を抜いて異国風の大殿堂を中空に築き上げた彼《あ》のニコライ堂(＊5)はるかに二重橋の神々しさと相対して旧い基督《キリスト》教の威厳を示しつつ星をめぐらし雲を呑吐《どんと》した彼の大丸屋根は何処《どこ》へか奪い去られて只白い壁でガラン堂の窓とが、疎《まば》らな黒い木立ちの中から偉大な骸骨の様にのぞいて居る。其左に白く真四角な壁の残りは明治大学であろう。ニコライの朝夕の鐘が鳴る毎《ごと》に窓をあけたり閉《とざ》したりいくつかの病院生徒を送ったり迎えたりしたいくつかの学校はあとかたも無い、すり切れたブラシの様な樹林が断続して居る。

＊5　**ニコライ堂**
三六頁参照。

油紙色に変色した死体　橋の下に二つ

眼の前の神田橋(＊6)はつけ根から落ちて電車の軌道の間に挟まった橋板がプラプラして居る。その前後の渡り口に巡査と近衛二聯隊の兵士が一人宛《ずつ》つき添うて居る。

橋の下をのぞいて見ると成る程死体が二つばかり眼につく。一つは男で一つは女である。男の方は白いメリヤスのシャツに浅黄色の猿股を穿《は》いて黒の兵児《へこ》帯《おび》をしめて居る。女の方は頭の毛の全部と右の袖口の一部が焦《こ》げて居るが慈姑《じこ》(＊7)と水車《みずぐるま》の藍模様の手拭地、浴衣の裾を高らかにからげて燃え立つ様な赤い腰巻きを露《あらわ》して居る。どちらも身体《からだ》は油

＊6　**神田橋**
五七頁参照。

＊7　**慈姑**
オモダカ科の水生多年草・クワイのこと。

紙色に変色して処々赤茶色に斑《まだら》が出来て居るのは焼けどのあとかとも思われる。其手足の大きい事、普通人の二倍以上に見える。堀川一面の焼け木、杭、破れ船、布団、衣類、紙其他家具家財の中に五六間を隔てた二人は漸く赤ばむ西日の下に太い肘《ひじ》を張り大きな尻を持ちあげて鉛色に淀む水の底を一心にのぞいて居る。

すこし引返して憲兵隊の横を内務省横へ抜ける通りは昔風の長屋が多く瓦屋根に荒格子の小窓、白壁に黒い腰板が続いて居る。今まで見て来た西洋式づくめの地震のあととはまるで違った趣がある。人通りも無論尠《すくな》く往来はちっとも片づけてなく溝に落ちた壁土のかたまり、路面に乱れ落ちた瓦なぞは地震当時の儘《まま》の様である。

無気味な妙に恐い男　物凄い其の顔

此処で記者は恐ろしいものに出合った。それは黒っぽいネル(＊8)の着物の尻をからげて、頭よりずっと小さな鳥打帽(＊9)を冠《かぶ》って、素足にゴム靴をはいて長い杖を突いた五十位かと見える日に焼けた男であった。左手に小さな白い包みを持って、此淋《この》しい通りをたった一人向うから歩いて来て、記者とすれ違った。其顔を見て記者はゾッとした。

右の眼は真黒な血をはみ出して腫《は》れふさがって居る。左の顔の眉から口の横へかけて、下地が薄黒くむくんだ上に、猛獣に一揉《ひともみ》ちぎれた様に掻き剝がれた直線が二すじ半ほど

＊8　**ネル**
フランネルの略。平織りにして起毛した柔らかい毛織物。下着類や子どもの和服の生地などに使われる。

＊9　**鳥打帽**
ひさしをつけた平たくて丸い帽子。ハンチング。

出来て居る。其の真中の線の上端に凹《へこ》んだ眼窩《がんか》があって、赤児の唇の様な瞼《まぶた》の下から半透明の脂肪の様な、又は葛練《くずね》り(*10)の様なものが一寸ばかり頬骨の上にブラ下って居る。米嚙みの処が大きくビクビクとして居たのは歯を嚙みしめて居た為であろう。彼は真直に首を据え腰を据えて肩をヒシと寄せて居た。

此無気味な男は大熱に浮《うか》されたような足取りで、恰《あたか》も苦痛のほか何者も感じ無い様にすべて無関心に近寄って来た。記者は吸い付けられる様に、其顔に瞳《ひとみ》を凝らし乍ら足音を盗んで成る可《べ》く遠く離れてすれ違った。すれ違うと同時に其男は此方《こちら》の足音をききつけて静かにふり返りそうに見えた、記者は急に足を早めてスタスタと遠ざかった。其時の記者の心持ちの卑怯さは今思い出しても冷汗が出る。『こんな男に道を問われたら——手を引いて連れて行って遣らないわけに行かぬであろう。——左様したる此男のむごたらしい体験を聴かないわけに行かないであろう——此男の苦痛と道連れにならずには居られないであろう』と云う様な、浅ましい考えが此男の顔つきを見ると同時に一パイわき起って記者を魘《おび》えさしたのであった。それ程に不真面な気持ちで東京の焼け跡を見物して居た事を、此時竦然《しょうぜん》として自覚したのであった。

*10 **葛練り** 葛粉に水と砂糖を加え、煮て練った菓子。

頭に閃《ひらめ》く瞬間の感想　一種魘えの後

記者は又気が付いた、到る処設けられて居る救護班（＊11）の手から何《ど》うして彼《か》の男一人洩れたのであろう。白い包みが薄っぺらである所を見れば、彼は喰物《くいもの》も持たぬ様である。彼は此六日間を何うして生きて居たであろう。恐らく苦痛の為めに食慾も睡眠慾も、無くなって居るのではあるまいか。彼の眼には東京市がまだ崩れ燃えて居るのではあるまいか。左様して救護班か何かに行く積りで、俄盲《にわかめくら》（＊12）の為にそんなものの無い処ばかり撰《えら》んでさまようて居るのではあるまいか。すれ違う人々も彼の恐ろしい顔を見て二の足を踏んだのではあるまいか。それならば記者も其責任を負わねばならぬ。記者は一瞬の間にこれ丈けの事を考えた。急に踵《きびす》を返して二十間ばかり隔たって居た其男を追いかけようとした。

見ると其男は往来の真中に、正面を向いた儘立ち止まって居る。其前に黄色い鉢巻きに白シャツ白ズボン、足袋跣足《はだし》で赤い腕章（＊13）を、これ見よがしに捲《ま》いた十六七と見える生意気らしい少年が立ち塞がって、男の手に持った白いハンケチの包みを引ったくって中味を改めて居る。少年は口に啣《くわ》えて居た巻煙草（＊14）の煙に、眼をしかめ乍ら勿体らしく帳面様のものをバラバラさせて居たが、直ぐに包み直して男の手に持たせ、巻煙草を投げ棄

＊11 **救護班**
被災者の救護にあたるために設けられた組織。関東大震災では、軍隊や警察などによる救護活動のほかに、町内会や青年団、在郷軍人会、日本赤十字社や恩賜財団済生会などの民間団体が大きな役割を果たした。

＊12 **俄盲**
病気や怪我などによって視力を失い、突然目が見えなくなること。現在では差別的な表現にあたる。

＊13 **赤い腕章**
朝鮮人暴動の流言によって結成された自警団が、朝鮮人と区別するために身に付けていた腕章。

＊14 **巻煙草**
細長く巻いて固め、一端に火をつけて吸うようにした煙草。

てて男の手を引っぱった。『黒江町の腰塚さんですね』と云った。男は殆《ほとん》ど腰を二重になる位折曲げてお辞儀をした。少年は近付いた記者にデロリと一瞥《いちべつ》を呉れると、其儘自転車を押し押し誇りかに大手町の方へ曲って行った。

記者は悪夢から醒めた様に、森閑とした横町に突立って二人のあとを見送って居た。曠古《こうこ》(*15)の大惨害の光景を其時限り潰れた眼の中に一生涯見詰めて行く男の運命を思い乍ら……。神田橋の下に暗い水底をのぞき込んで居る人間たちとどちらが幸福かと考え乍ら……。

*15 **曠古**
前例のないこと。

震災画報

『震災画報』（＊1）（全六冊）大正一二年九月〜一三年一月（半狂堂）より抜粋

宮武外骨

●上野公園（＊2）に集った避難者　二日には約五十万人〈第一冊〉

その後焼残りの親族方へ行った者、友達の家へ同居する者、府市の救護所へ転じた者、徒歩で郷里へ帰る者、無賃汽車で他地方へ行った者等が日々数万組あって、昨今（十七、八日頃）は居残りが千軒くらいに減じている。焼跡からトタン板を拾って来て屋根に葺《ふ》き、蓆《むしろ》を敷き戸を立てかけて乞食小屋同様の住家を作って居る、たよる先のない哀れな者ばかり。

宮武外骨《みやたけがいこつ》（一八六七 慶応三—一九五五 昭和三〇）ジャーナリスト、著作家。讃岐国（現・香川県）生まれ。幼名は亀四郎。「屁《へ》茶《ちゃ》無《む》苦《く》新聞」「頓智《とんち》協会雑誌」「滑稽《こっけい》新聞」を創刊するが、特異な活動から多くの筆禍を被った。一八八九（明治二二）年には大日本帝国憲法発布式を風刺した「頓智研法発布式之図」によって不敬罪に問われ、禁錮《きんこ》刑を受けている。関東大震災後は、明治の新聞・雑誌の保存収集の必要性を説き、吉野作造らと明治文化研究会を結成して明治文化の研究に取り組んだ。

＊1　**『震災画報』**
第一冊は九月二一日に印刷を完了し、二五日に発行された。外骨は奇談を交えつつ悲惨な現実をたくましく生

き抜く庶民の姿を伝えた。当時「半狂堂」という自身の個人出版社で残っていた紙をかき集め、みずから組版をしたという。焼け残った活字で組んだ西郷像のタイトル文字の大きさが不揃いであるのがわかる（二〇九頁）。『震災画報』は翌年の一月発行の第六冊まで続いた。

＊2 **上野公園**
一三頁参照。

●尋ね人の貼紙〈第一冊〉

父に離れた子、娘を見失った母、行方の知れぬ兄、安否の分らない妹、夫にはぐれた妻、主人思いの店員、焼落ちた親族の立退先、仲の善い友達の消息。これを尋ねる貼紙が塀、壁、墓碑、樹木、電柱、電車、警察署の前、交番所の周囲等、あらゆる個所にはられたが、谷中天王寺の五重塔(*3)下には次のごとき貼紙があった。法学博士の著名人(*4)その門弟が先生は既に先夜本所被服廠跡(*5)で焼死された事をも知らず、全市へかかる貼紙をしたのであろうが、後に何人かが「逝去」の二字を書き加えたので、一層哀悼の情を深くせしめた。

この貼紙のほか「何町の何某様《なにがしさま》」と書いた木札または厚紙を棒に打付けて手に持ち、「神田多町の山口さんはおりませんか」とか「本石町の松本さーん」とか哀れな声で、避難者群集の中を叫びながら歩いた者が数知れず、すでに焼死した者、溺死した者とは知らず、否「もしや生きておりはせぬか」と頼りなくも尋ね廻った者が多かったらしい。上野公園内には一時五十万人の避難者がいたので「何町の何某さん」と呼ぶ声が数日間の昼夜絶え間がなかった。この公園に接近する著者の居宅、深更の二時三時頃には、全山のその叫び声が寝耳に徹して、何とも云い知られぬ悲痛の感に打たれた。尋ね当てた

＊3 谷中天王寺の五重塔
一二八頁参照。

＊4 法学博士の著名人
図版の磯部四郎を指す。大審院判事・検事などを務めた。一八五一（嘉永四）～一九二三（大正一二）。

＊5 本所被服廠跡
一四七頁参照。

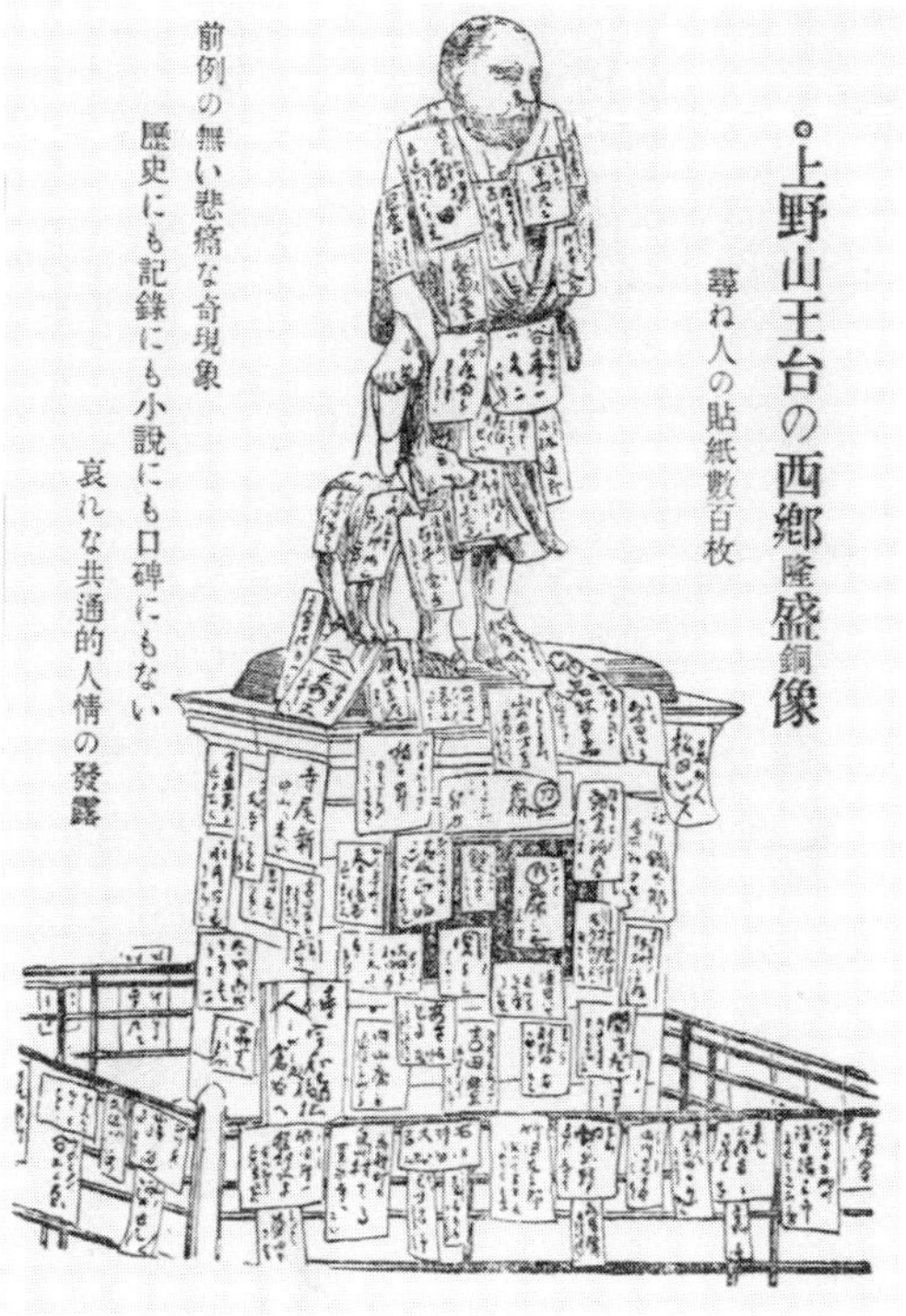

上野山王台の西郷隆盛銅像
尋ね人の貼紙数百枚
前例の無い悲痛な奇現象
歴史にも記録にも小説にも口碑にもない
哀れな共通的人情の發露

（＊6）
貴族院議員
磯部四郎先生ノ
居所ヲ御知ラセ下サイ

＊6 **貴族院**
大日本帝国憲法下において設置され、衆議院とともに帝国議会を構成した。議員は皇族・華族・勅任議員から構成された。日本国憲法の公布によって、一九四七（昭和二二）年に廃止された。

人々の喜びはもちろんだが、数日声をからしてついに効のなかった人々の失望は察するにあまりがある。

●吉原の遊女〈第一冊〉

今回の大事変中、聞くにも語るにも悲惨の極《きわみ》なのは、本所被服廠あとでの三万余人焼死と吉原娼妓《よしわらしょうぎ》（＊7）の事である。これは委細を書くに忍びないが、そら火事だと圧死を免れた娼婦どもは、廓内の公園（＊8）に避難したが、火に追われて遁《にげ》るに途《みち》なく、池水に投じて溺れたり焼死した者が多数であった。昨今は廓内の空地に塔婆（＊9）を建てて回向している。

●貧富平等の無差別生活〈第一冊〉

＊7　**吉原娼妓**
吉原は現在の東京都台東区千束にあった遊郭。江戸時代には二千人から三千人の遊女がいたとされる。明治時代以降、「娼妓」は特に公認された売春婦のことを指した。

＊8　**廓内の公園**
吉原公園。遊女の脱走を防ぐため、吉原には入口が大門の一箇所しかなかった。そのため、関東大震災では多くの遊女たちが火災から逃げることができず、大門と反対側にあった弁天池に追い込まれて、五百人以上が命を落とした。

＊9　**塔婆**
供養のために建立する塔。

大事変の際には、法律無視の小行為は看過されるものである事を今度実地に目撃した。裸体で大道を歩いても構わず、大小便はどこへ垂れても咎める者なく、他人の邸宅へ侵入して水を汲んだり、無免許で商売を始める者、公園の樹木を折り、しかも居住権のあるかのごとく仮小屋を作るなど、枚挙に暇《いとま》なしであるが、また法律外の問題としても、常時にはない事が行われた。粗服粗食など貧富無差別、貴賤平等でやや原始的の世態に近い事であった。

悲惨の中で滑稽なのは、大人が小児の衣服を着、裸体で焼出された小児が綿入のドテラ（＊10）をもらって着ていた事である。

●東京を去った百万の避難者〈第一冊〉

東京上野駅は全滅であったので、日暮里駅から京阪へも東北地方へも汽車開通（＊11）。しかも罹災者は無賃乗車とあるので、我も我もと帰郷または関西地方へ逃げた者が多かった。これは東京にいても住むべき家がなく、執るべき職業がないから、早く遠走りするに限ると、

＊10 **ドテラ** 普通の着物よりもやや大きめで、綿を入れた広袖の着物。防寒具や寝具として用いる。

＊11 **東北地方へも汽車開通** 九月二日の時点で東北本線は日暮里以北が開通したが、被災した荒川橋梁は徒歩連絡だった。

東京を見くびった者が少なくなかったからであろうが、我れ先にと押し寄せて、すでに満員であるにもかかわらず、窓から飛込んで他人の頭を踏みにじったり、列車の屋上に飛び乗り転び落ちて死んだ者もあった。女子供はとても乗れないので、次の列車列車を待つのみで、終日乗れずに停車場で夜明かしした者もあった。

かく帰郷または逃避を急いだのは、食料と住居の問題もあったが、一つには、元の商売をするには全焼で資本がないとか、勤め先の会社は全焼で復活も覚束ないとかいう理由もある。元来は都会地にあこがれて来た人々であったに、今度の大震で都会生活が畏《おそ》ろしくなった者もあろうが、昔から「焼け太り[*12]」という語がある。残存の東京人は、これからおおいに働いておおいに遊び、おおいに懐中を肥やしおおいに身体を肥やすに違いないと予想している。

しかし東京市が復活すると、のこのこ帰郷する者もあろう。

●「此際」という語〈第二冊〉

今回の震災後、バラック町[*13]、天幕村《テント》[*14]、自警団などいう新語も出来たが、最も濫用されているのは「社会奉仕」の語であろう。奉仕の字義を知らない自己奉仕の連中までがこれを濫用して、駄菓子屋の店頭や床屋の軒下にまで社会奉仕の貼紙が出ている。流行心理学の一材料であろう。

これとは違うが、昨今最も広く一般に行われているのは、「此際《この》」という語である。その例、

「此際の事ですから御辛抱下さい」
「何といっても此際にはダメでしょう」
「此際そんな事をしてはならぬ」
「平常ならともなく此際には遠慮すべしだ」

＊12 **「焼け太り」** 火災に遭った後、保険金や見舞金によって、生活や事業が以前よりも豊かになること。

＊13 **バラック町** ありあわせの材料で作った粗末な仮小屋の並ぶ町並み。関東大震災時には、被災者を収容するためのバラック街が公設・私設ともに建てられた。

＊14 **天幕村** 雨風をしのぐための幕を張り、人びとが難を逃れられるようにした場所。

「此際だから我慢しておこう」

「何でも構わないよ此際じゃないか」

「此際の事だからそれでよかろう」

この「此際」という語中には、節制、寛容、素朴等の美徳を表わして、奢侈《しゃし》、驕慢《ごうまん》、虚偽、虚栄、放恣《ほうし》、浮華《ふか》等を戒め、また一面には復活復興を期する希望をも含んでいる。此際の「此際」という語は実に多義多様の簡約語である。

●溺死者の所持金品〈第四冊〉

「水上警察署(＊15)で震災以来収容した溺死体は、九月十五日までに二千四百二十八名の多数に上り、うち身許《みもと》判明して引取ったものが百十二名。身許がわかっても引取人のないものが百四十八名。残り二千百六十余名は無縁仏として、区役所の手で埋葬された。溺死者全部の所持品は、現金一万八千円、金指輪六十五本、金時計二十四個を筆頭に、保険証券十四枚、債券三十二枚、預金通帳百八枚という多数である。寺坂水上署長の談によれば、溺死者の総数は約一万人の見込であるが、一部分は陸上警察の手で引上げ、水上署は船便のある個所だけの死体を収容したに過ぎぬが、その後も毎日四、五の溺死体を発見収容している」(東京日日新聞(＊16))

＊15 **水上警察署**
河川・湖沼や運河・港湾での防犯・警備・船舶の交通整理や危険防止・救護などを任務とする警察署。東京水上警察署は一八七九(明治一二)年に開設された。

＊16 **東京日日新聞**
一八七二(明治五)年に創刊された東京初の日刊新聞。一一四頁参照。

右の現金でない物品を代金に略算して、金指輪を平均十円、金時計を平均三十円、債券を一枚十円と見、それに正金《しょうきん》(＊17)を合せて約二万円である。一人平均の所持金品が十円に足りない、危急避難者の携帯高としては僅少に過ぎるが、これは水中で懐中物を流失したのも多くあり、また浮動中横着者に窃取されたのも少くはあるまい。近頃渋谷辺や牛込辺の茶屋(＊18)で豪遊する怪しい人物中には、焼跡の貴金属さらい、震災当時の遺失物拾得者も多かろうが、溺死者の所有物を掠奪《りゃくだつ》した者も少くはあるまい。

懐中へ千円の正金を入れて両国橋へ避難した者が、両方から火炎に責められて川中へ飛込んだ時、同じく飛込んだ無数の人々が袖や裾に縋り付くので、共死を免れないと見て懐中の金も捨て、丸裸になって泳ぎ脱《ぬ》けたという話もある。

＊17 **正金**
現金のこと。

＊18 **茶屋**
客を遊女屋へ案内することを生業とする家。

◉解説　関東大震災を見つめたメディアの視座

関東大震災のときには写真が普及していたので、おびただしい写真が残された。写真は目の前の現実をそのまま写して、事実を客観的に記録する。確かにそのとおりで、写真が伝えるリアリズムの価値は大きい。だが、画家たちは報道を写真に委ねてしまうのではなく、被災地を見てまわって、その状況を描いた。絵画は主観的であるが、それゆえにかえって印象深く訴える力を持っている。

画家の文章と絵画をセットにしたものに、黎明社編輯部の『震災画譜　画家の眼』（黎明社、一九二三年）がある。これには全部で五四点が載るが、画家には漫画家の岡本一平、日本画家の平福百穂《ひゃくすい》、日本画家の伊東深水などがいて、多彩な顔ぶれである。その中に、画家・詩人の竹久夢二も含まれる。画家の中で最も熱心に震災を描いたのは夢二だった。震災は大正ロマンを代表する画家から別の才能を引き出す契機になった。

本書では、夢二の「東京災難画信」二一回の連載から、「浅草観音堂のおみくじ場」（この見出しは仮に付けた）と「自警団遊び」を載せた。前者は下町でも奇跡的に焼け残った浅草寺に人々が集まる様子、後者は子供たちが戒厳令下で民間に組織された自警団のまねをする様子を描いた。夢二の作品としてはもう一つ、随筆の「新方丈記」を載せた。東京の焼け跡を歩いて、小動物や小さな草木を目にしつつ思い起こしたのは、鴨長明の随筆『方丈記』だった。商業主義や唯物主義に走った日本でも、生き方の再認識が余儀なくされたと考えたのである。阪神・淡路大震災でも東日本大震災でも『方丈記』が話題になったことが思い出されるが、すでに関東大震災でもそうだったのである。平素は忘れられているが、ひとたび災害があると思い出される古典が『方丈記』であることがわかる。

小説家の田山花袋は、単行本の『東京震災記』を書いた。花袋は代々木に住んでいたが、本所に住む知り合いの安否を尋ねた話を書いた。知り合いというのは、小説のモデルになった芸妓・飯田代子《よね》を指す。本書は、その中から、隅田川を渡れずに帰ったときの様子を書いた「帰路」を抜粋した。『東京震災記』が重要なのは、序で、この作品は記録や新聞には見られない「描写」をしたと宣言したことにある。文豪の書いた文章が重要なのはそうした描写にあり、花袋はそのことに自覚的だったことがわかる。

本書は関東大震災の直後に書いた文章を主に収録したが、まだ若かった場合、雑誌に書く機会はなかった。しかし、強烈な印象で震災を受け止め、それを後に回想した文章も少なくない。そうした中から特に、小説家の井伏鱒二が書いた『荻窪風土記』の「関東大震災直後」を抜粋した。井伏は早稲田大学を中退した後も作家になることをめざして、近くの戸塚に住んでいて地震にあった。この辺りの被災を書いた文章は少ないので、貴重である。

また、小説家の夢野久作は、関東大震災で築地にある父・杉山茂丸《しげまる》の自宅が焼け、九州日報社の記者として派遣されて上京し、出家名の杉山泰道の名で「変った東京の姿　焼跡細見記」を書いた。東京を歩きまわって、神田橋で顔が腫れあがった男に出会った恐怖の体験を書いている。文中にある「記者」とは夢野自身のことをいう。

ジャーナリストの宮武外骨は、震災のときは上野公園の北に住み、自宅で半狂堂という個人出版社を経営していたので、保存していた紙を使って『震災画報』全六冊を出した。本書はその中から「震災画報」として「上野公園に集った避難者　二日には約五十万人」「尋ね人の貼紙」「吉原の遊女」「貧富平等の無差別生活」「東京を去った百万の避難者」「『此際』という語」「溺死者の所持金品」の七編を抜粋した。「西郷隆盛銅像」の活字が大小不揃いなのは、活字不足に対応する苦心の結果だったことが知られる。

外骨は好奇心と行動力で被災地を歩いて取材したが、十分対応できなかった場合は、「溺死者の所持金品」で「東京日日新聞」を引用するような方法もとっていた。それでも一貫して見られるのは、被災した人々がたくましく生きる姿を書こうとしたことである。関東大震災からの復興といえば、行政の力ばかりが喧伝《けんでん》されるが、それを下支えしたのはこうした庶民の力だったことが巧みな絵画と文章からわかる。

第五章　絶望から復興への歩み

石油ランプ

「文化生活の基礎」第四巻第一号、大正一三年一月（文化生活研究会）

吉村冬彦（寺田寅彦）

（此《こ》の一篇を書いたのは八月の末であった。九月一日の朝、最後の筆を加えた後に、此れを状袋《しょうぶくろ》（＊1）に入れて、某誌に送るつもりで服のかくし（＊2）に入れて外出した。途中であの地震に会って急いで帰ったので、とうとう出さずにしまって置いた。今取出して読んで見ると、今度の震災の予感とでも云ったようなものが書いてある。それでわざと其儘《そのまま》に本誌にのせる事にした。）

生活上の或る必要から、近い田舎の淋しい（＊3）処に小さな隠れ家を設けた。大方は休日などの朝出かけて行って、夕方はもう東京の家へ帰って来る事にしてある。併《しか》しどうかすると一晩位其処《そこ》で泊るような必要が起るかも知れない。そうすると夜の灯火の用意が要る。

電灯は其村に来て居るが、私の家は民家と可也《かなり》かけ離れた処に孤立して居るから、架

寺田《てらだ》寅彦《とらひこ》（一八七八 明治一一―一九三五 昭和一〇）物理学者、随筆家、俳人。東京市麹町（現・千代田区）生まれ。筆名吉村冬彦。高知県尋常中学校（現・高知県立高知追手前高等学校）から熊本の第五高等学校に進み、夏目漱石から英語と俳句を学ぶ。東京帝大理科大学物理学科卒。母校・帝大の教授を勤めながら、漱石に師事し、文筆の方面でも活躍した。「天災は忘れた頃にやって来る」という言葉は寅彦の言葉として知られているが、寅彦の著作のなかにはなく、弟子の中谷宇吉郎らによって広められたものである。

＊1　**状袋**　封筒。

線工事が少し面倒であるのみならず、月に一度か二度位しか用のないのに、わざわざそれだけの手数と費用をかける程の事もない。矢《や》張《はり》石油ラムプの方が便利である。

それで家が出来上る少し前から、私はラムプを売る店を注意して尋ねて居た。散歩の序《ついで》に時々本郷神田辺のガラス屋などを聞いて歩いたが、何処《どこ》の店にも持合わせなかった。其等《それら》の店の店員や主人は「石油ラムプはドーモ……」と、特に「は」の字にアクセントをおいて云って、当惑そうな、或は気の毒そうな表情をした。傍で聞いて居る小店員の中には顔を見合せてニヤニヤ笑って居るのもあった。恐らく此等《これら》の店の人に取って、今頃石油ラムプの事などを顧客に聞かれるのは、疾《とう》の昔に死んだ祖父の事を、戸籍調べの巡査に聞かれるような気でもする事だろう。

或る店屋の主人は、銀座の十一屋（＊4）にでも行ったらあるかも知れないと云って注意してくれた。散歩の序に行って見ると、成程あるにはあった。米国製で中々丈夫に出来て居て、一寸《ちょっと》位投《ほう》り出しても壊れそうもない、又どんな強い風にも消えそうもない、実用的には申分のなさそうな品である。それだけに、どうも座敷用又は書卓用としては、余りに殺風景なような気がした。

此れは台所用として兎《と》も角《かく》も一つ求める事にした。

蠟燭《ろうそく》にホヤ（＊5）をはめた燭台《しょくだい》や手燭《てしょく》（＊6）もあったが、此れは明るさが不充分なばかりでなく、何となく一時の間に合せの灯火だというような気がする。それにラムプの焔《ほのお》は何処《どこ》かしっかりした底力をもって居るのに反して、蠟燭の焔は云わば根のない浮草のように果敢《はか》

＊2　**かくし**
ポケット。

＊3　**近い田舎の淋しい処**
東京府北豊島郡志村（現・板橋区中台）。

＊4　**銀座の十一屋**
西洋食器・輸入ランプなどを取り扱っていた店。ランプの露天商から身を起こし、宮内省御用達まで成長した。

＊5　**ホヤ**
ランプや燭台などの火をおおうガラス製の筒状のもの。

＊6　**燭台や手燭**
燭台は蠟燭を立てる台。手燭は燭台に柄を付けて持ち運べるようにしたもの。

ない弱い感じがある。その上に段々に燃え縮《ちぢま》って行くという自覚は何となく私を落着かせない。私は蠟燭の光の下で落着いて仕事に没頭する気にはなれないように思う。

併し何かの場合の臨時の用にもと思って此れも一つ買う事にはした。

肝心の石油ラムプは中々見付からなかった。粗末なのでよければ田舎へ行けばあるだろうとおもって居たが、いよいよあたって見ると、都に近い田舎で電灯のない処は今時もう何処にもなかった。従ってそういう淋しい村の雑貨店でも、神田本郷の店屋と全く同様な反応しか得られなかった。

段々に意外と当惑の心持が増すにつれて私は、東京という処は案外に不便な処だという気がして来た。

若《も》し万一の自然の災害か、或は人間の故障、例えば同盟罷業(＊7)やなにかの為に、電流の供給が中絶するような場合が起ったらどうだろうという気もした。そういう事は非常に稀な事とも思われなかった。一晩位なら蠟燭で間に合せるにしても、もし数日も続いたら誰もラムプが欲しくなりはしないだろうか。

此れに限らず一体に吾々は平生余りに現在の脆弱《ぜいじゃく》な文明的設備に信頼し過ぎて居るような気がする。適《まさ》に地震の為に水道が止まったり、暴風の為に電流や瓦斯《ガス》の供給が絶たれて狼狽《ろうばい》する事はあっても、しばらくすれば忘れてしまう。そうしてもっと甚しい、もっと永続きのする断水や停電の可能性が何時《いつ》でも目前にある事は考えない。

人間は何時死ぬか分らぬように器械はいつ故障が起るか分らない。殊に日本で出来た

＊7　**同盟罷業**
労働者のストライキ。一九〇〇（明治三三）年公布の治安警察法で制限されていたが、第一次世界大戦後、資本主義の発達に伴い続発していた。

品物には誤魔化しが多いから猶更《なおさら》である。

ラムプが見付からない不平から、ついこんな事まで考えたりした。

其内に偶然或る人から日本橋区の或る町に石油ラムプを売って居る店があるという事を教えられた。やっぱり無いのではない、自分の捜し方が不充分なのであった。

丁度忙しい時であったから家族を見せに遣《や》った。

其店は卸し屋で小売はしないのであったが、強いて頼んで二つだけ売ってもらったそうである。どうやらラムプの体裁だけはして居る。しかし非常に粗末な薄っぺらな品である。店屋の人自身が此れはほんの其時切りのものですから永持ちはしませんよと云って断って居たそうである。

どうして、わざわざそんな一時限りの用にしか立たないラムプを製造して居るのか。そういう品物がどういう種類の需要者によって、どういう目的の為に要求されて居るかという事を聞きただして見たいような気がした。何故《なぜ》もう少し、しっかりした、役に立つものを作らないのか要求しないのか。

此の最後の疑問はしかし恐らく現在の我《わが》国の物質的のみならず精神的文化の種々の方面に当て嵌《は》まるものかも知れない。此の間に合せのラムプは唯《ただ》それの一つの象徴であるかも知れない。

二つ買って来たラムプの一つは、石油を入れて見ると底のハンダ付けの隙間から油が沁《し》み出して用をなさない。此れでは一時の用にも立ちかねる。此れはラムプではない。

つまりラムプの外観だけを備えた玩具か標本に過ぎない。

ラムプの心《しん》(＊8)は一把《いっぱ》でなくては売らないというので、一把百何十本買って来た。恐らく生涯使っても使い切れまい。自分の宅で此れだけ充実した未来への準備は外にはないだろうと思って居る。併しラムプの方の保存期限が心の一本の寿命よりも短いのだとすると心細い。

此のラムプに比べて見ると、実際アメリカ出来の台所用ラムプはよく出来て居る。粗末なようでも、急所がしっかりして居る。凡《すべ》てが使用の目的を明確に眼前に置いて設計され製造されて居る。此れに反して日本出来のは見掛けのニッケル鍍金《ときん》などに無用な骨を折って、使用の方からは根本的な、油の漏れないという事の注意さえ忘れて居る。

唯《ただ》アメリカ製の此の文化的ラムプには、少くも自分にとっては、一つ欠けたものがある。それを何と名づけていいか、今一寸適当な言葉が見付からない。併しそれは唯此のラムプに限らず、近頃の多くの文化的何々と称するものにも共通に欠けて居る或物である。

それは所謂《いわゆる》装飾でもない。

何と云ったらいいか。例えば書物の頁《ページ》の余白のようなものか。それとも人間のからだで云えば、例えば――まあ「耳たぶ」か何かのようなものかも知れない。耳たぶは、あってもなくても、別に差支えはない。しかしなくてはやっぱり物足りない。

＊8 **心**
灯芯。灯油にひたして火をともすのに用いるもので、木綿糸などでできている。

其後軽井沢に避暑して居る友人の手紙の中に、彼地《かの》でラムプを売って居る店を見たと云ってわざわざ知らせてくれた。又郷里へ注文して取寄せてやろうかと云ってくれる人もあった。併し折角遠方から取寄せても、それが私の要求に応じるものでなかったら困ると思って、其儘にしてある。どうせ取寄せるなら、何処か、英吉利《イギリス》辺の片田舎からでも取寄せたら、そうしたら或は私の思って居るようなものが得られそうな気がする。

併しそれも面倒である。結局私は此の油の漏れる和製の文化的ラムプをハンダ付けでもして修繕して、どうにか間に合わせて、それで我慢する外《ほか》はなさそうである。

断腸亭日乗

『摘録 断腸亭日乗（上）』昭和五五年（岩波書店）より抜粋

永井荷風

九月朔《ついたち》。昒爽《こつそう》（＊1）雨歇《や》みしが風なお烈《はげ》し。空折々掻曇《かきくも》りて細雨烟《けむり》の来るが如し。日まさに午《ひる》ならむとする時天地忽《たちまち》鳴動す。予書架の下に坐し『嚶鳴館遺草《おうめいかんいそう》』（＊2）を読みいたりしが、架上の書帙《しょちつ》頭上に落来るに驚き、立って窗《まど》を開く。門外塵烟《じんえん》濛々殆《ほとんど》咫尺《せき》を弁せず。児女鶏犬《けいけん》の声頻《しきり》なり。塵烟《じんえん》は門外人家の瓦の雨下《うか》したるがためなり。予もまた徐《おもむろ》に逃走の準備をなす。時に大地再び震動す。書巻を手にせしまま表の戸を排《おしひら》いて庭に出でたり。数分間にしてまた震動す。身体の動揺さながら船上に立つが如し。門に倚《よ》りておそるおそるわが家を顧るに、屋瓦《おくが》少しく滑りしのみにて窓の扉も落ちず。やや安堵の思《おもい》をなす。昼餉《ひるげ》をなさんとて表通なる山形ホテル（＊3）に至るに、食堂の壁落ちたりとて食卓を道路の上に移し二、三の外客椅子に坐したり。食後家に帰りしが震動歇《やす》まざるを以て内に入ること能《あた》わず。庭上に坐して唯戦々兢々《きょうきょう》たるのみ。物凄く曇りたる空は夕に至り

永井荷風《ながいかふう》（一八七九 明治一二 ―一九五九 昭和三四）

小説家、随筆家。東京市小石川（現・文京区）生まれ。本名壮吉。米仏での銀行勤務を経て帰国し、作家として活躍。麻布市兵衛町（現・港区六本木）の偏奇館に、一九二〇（大正九）年から四五（昭和二〇）年に空襲で焼失するまで住む。

＊1 **昒爽**
早朝。

＊2 **『嚶鳴館遺草』**
江戸時代の儒学者・細井平洲（一七二八～一八〇一）の和文遺稿集。

＊3 **山形ホテル**
偏奇館の近くにあったホテル。

次第に晴れ、半輪の月出でたり。ホテルにて夕餉《ゆうげ》をなし、愛宕山《あたごやま》に登り市中の火を観望す。十時過《すぎ》江戸見阪を上り家に帰らんとするに、赤阪溜池の火は既に葵橋（＊4）に及べり。河原崎長十郎（＊5）一家来りて予の家に露宿す。葵橋の火は霊南阪を上り、大村伯爵（＊6）家の隣地にて熄《や》む。わが廬《いえ》を去ること僅《わずか》に一町ほどなり。

九月二日。昨夜は長十郎と庭上に月を眺めて暁の来るを待ちたり。長十郎は老母を扶《たす》け赤阪一木《ひとつぎ》なる権十郎（＊7）の家に行きぬ。予は一睡の後氷川を過ぎ権十郎を訪《おとな》い、夕餉の馳走になり、九時頃家に帰り樹下に露宿す。地震《ふる》うこと幾回なるを知らず。

九月三日。微雨。白昼処々に放火するものありとて人心恟々《きょうきょう》たり。各戸人を出し交代して警備をなす。梨尾君来りて安否を問わる。

九月四日。昒爽家を出で青山権田原（＊8）を過ぎ、西大久保に母上を訪う。近巷平安無事常日の如し。下谷鷲津氏（＊9）の一家上野博覧会自治館跡の建物に避難すと聞き、徒歩して上野公園に赴き、処々尋《たずね》歩みしが見当らず、空しく大久保に戻りし時は夜も九時過ぎなり。疲労して一宿す。この日初めて威三郎（＊10）の妻を見る。威三郎とは大正三年以後義絶の間柄なれば、その妻子と言語を交《まじう》る事は予の甚《はなはだ》快しとなさざる所なれど、非常の際なればやん事をえざりしなり。

＊4　**葵橋**
現在の港区虎ノ門付近にあった外濠に架かる橋。

＊5　**河原崎長十郎**
四代目河原崎長十郎。歌舞伎役者。

＊6　**大村伯爵**
大村純雄。

＊7　**権十郎**
二代目河原崎権十郎。歌舞伎役者。長十郎の兄。

＊8　**青山権田原**
現在の港区元赤坂二丁目。

＊9　**鷲津氏**
鷲津貞二郎。荷風の弟で、牧師。

＊10　**威三郎**
永井威三郎。荷風の弟で、農学者。

快活なる運河の都とせよ

「女性」第四巻第五号、大正一二年一一月（プラトン社）

永井荷風

災後東京市街建直しの儀につき御尋《おたずね》にあずかり候《そろ》まま、妄語二三左《さ》に記し置き候《そろ》。本《もと》より閑人の閑語、唯《ただ》文責をふさぐのみに御座《ござ》候《そろ》。

聞くところによれば、政府にては米国より技師を招聘《しょうへい》し（＊1）都市再建の大事を委任いたす由《よし》に御座候えども、元来米国人の趣味は日本風土の美に調和致し難き事前例によって明白に御座候。もし外国より是非とも技師招聘の必要有之候《これありそうろう》ものならば、仏蘭西伊太利亜《フランスイタリア》この二国にて然《しか》るべき人物を択《えら》び迎えたきものに御座候。伊太利亜は申すまでもなくわが国と同じく度々震災の経験にも富みたる国なれば、啻《ただ》に趣味の上のみならず、実地に当っては伊人の腕前必ず米人よりも立ち優りたるところ有るべきやに被存候《ぞんぜられそろ》。米人を仰ぎ迎えて師となすの耻辱《ちじょく》は幕末維新の時にて既に十分と存候《ぞんじそろ》。

＊1　**米国より技師を招聘し**　震災後に再招請されて、復興に協力した、アメリカの歴史学者、政治学者のチャールズ・ビーアド（一八七四〜一九四八）を指すのだろう。

東京は東武平野(＊2)の上に立てる都会なり。筑波おろし富士おろしなど申候うて、兎角《とかく》風つよく、雨はいつも斜《ななめ》に降りつけるところに御座候。強雨襲い来る毎《ごと》に市中川添《かわぞい》の人家また崖下の裏町といえば必ず浸水の害を蒙《こうむ》りたる次第に有之候《これありそろ》間、この度新都造営に際しては道路の修復と共に溝渠《こうきょ》(＊3)の開通には一層の尽力然るべきやに被存候。都市外観の上よりしても東京市には従来の溝渠の外、新に幾条の堀割を開き舟行《しゅうこう》の便宜あるように致《いたし》度候《たくそろ》。急用の人は電車自動車にて陸上を行くべく、閑人は舟にて水を行くように致し候《そうら》わば、おのずから雑遝《ざっとう》を避くべき一助とも相成申べく候。京都はうつくしき丘陵の都会なれば、此《こ》れに対して東京は快活なる運河の美観を有する新都に致したく存候。

帝都復興委員(＊4)の人選に美術文学の士を加えざりしは如何《いか》なる故なりしや。わが国現代文明の程度も此れによって推測いたさるる次第に御座候。政府は従来の習慣に随い文士画家を目して閑人となせしがためか。或《あるい》はまた新都造営の大議に参与すべき能力なきものと思いしが為めなるや。(但《ただ》し斯《か》く申したればとて小生は決して復興委員たることを欲するものには無之候《これなくそろ》)

この度帝都再建の議起るに当って何よりも先に思出し候事は、明治三十年頃幸田露伴(＊5)先生の「新小説」(＊6)に寄せられ候「一国の首都」と申す文章に御座候。先生の卓見高識二十年後の今日《こんにち》尚聴くべきもの尠《すくな》からず、取分け劇場公園遊廓等に関する議論は今回新都造営に当っては特に再読の必要ありと存候。

右御返事まで申上候。

＊2 **東武平野**
武蔵国の東側の平野。

＊3 **溝渠**
給水や排水のため土を掘った溝。

＊4 **帝都復興委員**
帝都復興院参与会の小委員会。一九二三(大正一二)年一一月一日から開かれた。

＊5 **幸田露伴**
小説家、随筆家、考証家。一八六七(慶応三)～一九四七(昭和二二)。「一国の首都」は一八九九(明治三二)～一九〇一(明治三四)年に発表された、首都東京を論じた都市論。

＊6 **「新小説」**
明治から昭和初期にかけて発行された文芸雑誌。

都市経営に繋《つなが》る女性の分け前

「女性」第四巻第五号、大正一二年一一月（プラトン社）

平塚　明（らいてう）

全く予想だもしなかったこの夢のような大凶変によって瞬く間に莫大な生命と巨額な富《とみ》とが失われ、到る処の家庭で涙を越え、悲しみの極みをつくした悲惨事が演ぜられたことに対して、私の心は言いようもない痛みと悩みの中《うち》に一旬《いちじゅん》（＊1）を過してしまいました。そして自分たち一家がこの大きな不幸の中で幸いにも恵まれたことを何ものにか感謝する心で一杯になりながらも、こうして相愛する親子（＊2）が無事で向い合っていられるのが却《かえ》って不思議なようでもあり、又あまりに幸福過ぎ且《か》つ幸福を独占し過ぎていることのように思われて、それが又どんなにか済まなくさえも感じられたことでしょう。

併《しか》し私の心はだんだんこの限りもない憂鬱に打ちかちはじめました。私は大自然の偉力の前に、あらゆる人為的な差別が否応《いやおう》もなく粉砕されて、人達が平等にかえったこと、

平塚らいてう
（一八八六明治一九—一九七一昭和四六）
著作家、女性解放運動家。東京市麹町（現・千代田区）生まれ。本名明《はる》。一九一一（明治四四）年、雑誌「青鞜」を創刊。掲載した「元始、女性は太陽であった」は有名である。一九一八（大正七）年、与謝野晶子と母性保護論争を展開。一九年、新婦人協会設立。二一年、協会の運営から退く。戦後も、婦人運動および反戦・平和運動に尽力した。

＊1　**一旬**　一〇日間。

＊2　**相愛する親子**　夫の奥村博史と、長女曙生《あけみ》、長男敦《あつ》史《ふみ》と生活していた。

少くとも生死の境から無一物となって新たに生れ出た人達が理窟《りくつ》なしに平等観に目醒めたこと、突如としてお互いの上に等しく落ちて来た生命の大危機の前に、人間の他のあらゆる欲望が忽《たちま》ち価値のないものになったことなどが、人と人との間を、俄《にわ》かに、以前見られなかった程度に人間的なものにしたことに気付きました。そしてこれは私をよろこばせ、うれしがらせ、私の暗い心を明るい方へ転廻《てんかい》して行くのでした。今日《こんにち》の人間を（同時に社会を）もっと人間的なもの、人間味の豊かなものにしたいということは、現代女性たちの可成《かな》りに久しい願いです。男性の社会は人の心の中に利己心や、競争心や、闘争心や、憎悪感などをいやが上にもはぐくみ育てて、個人と個人との間を、階級と階級との間をだんだん近より難いまでに引離してしまいました。人が近づくのも遠ざかるのも一《いつ》に利害に基き、懸引《かけひき》なしには一事として行われない社会に於《お》いては人間的な一切のものが消え失せ、赤裸《せきら》な魂と魂との接触というようなことは殆《ほと》んど見られないことになってしまいました。こんな社会は、又こんな文明は女性の心にとっては殊に堪えられないことであって、今日の婦人が意識的にまた無意識的に女性的な力を集中して男性の文化に反抗せずにいられない所以《ゆえん》も此処《ここ》にあったのでしたが、今回のこの思いがけない大天災によって、久しく口にしながら容易に見られなかった相愛共助の心が、協同一致の精神が、大艱難《だいかんなん》の只中《ただなか》から文字《もんじ》もなく理窟もなしに直ちに生きた真理として赤裸にされた人間本心の上に働き出し、人間同志の間の障壁が忽ちとりのぞかれて、一種の精神的な光輝が現われたということはこの際見のがすことの出来ない最も重大なことであったと私は思います。女性はこれによって未来の人類に対する信仰を一層深くし、この機会に、個人と社会とを人間的にしようとする女性の祈願の上に私共《わたしども》のもっと強い意志を置かなければなりますまい。

○

私は又こんなことを見ました。この大試練に出逢って、私達は国民として曽《かつ》て戦時に於てさえも示さなかったほどの勇猛心を発し、罹災者の救護に、罹災地の復興、新帝都の建設に一種の国民的緊張を現わしたことであります。私はこの国民的緊張の気分の中で私共がともすれば忘れそうになっていた愛国主義を新しい、本当の意味に於てこの際学ぶであろうと思います、のみならず学びたいと願います。と言って、（誤解のないため特に言って置きますが）これは決して今度の震災と同時に復活したかのように見える所謂《いわゆる》反動思想や軍国主義を指すものではありません。私が言うところの愛国主義は旧時代の人達が愛国心と呼んだ国家的利己主義の別名ではなく、世界の平和、全人類の幸福と一致するところの、新しい内容をもった、自覚的なものなのは言うまでもありません。そして私は反動思想と共に極端な反国家思想の無責任な宣伝に混乱させられている我が思想界の現状から見て、私共がこの機会に本当の意味の愛国心に目醒《めざ》めるということは、今後の我が社会改造の進路によい影響を齎《もたら》すに相違ないと思います。

＊3　**各種の婦人団体**　各種の婦人団体が震災の救援活動協力をきっかけに、「東京連合婦人会」を結成した。その政治部が母体となって、一九二四（大正一三）年「婦人参政権獲得期成同盟会」（翌年婦選

○

又私はこんな事を見ました。今度ほど私共が市民としての自分をはっきりと意識し、自分たち個人の生活と都市問題との間の密接な関係を体験したことはないということです。文字通りに死屍《しし》が山と積まれ、焦土と化した大東京を目の前にして、私共市民は都市経営ということが自分達の生死に係《かか》わる重大問題であることを痛切に感じました。若《も》し一般の婦人が自分達の家庭のために、その家族達の安全のために払っていただけの女らしい細心の心遣いと、愛のこころの半分だけでも、自分達のその家庭が営まれている市や町や村《そん》に払っていたのなら、これほど多くの家庭を滅ぼさずに済んだでしょう。この苦々しい体験は必ず市民の半数である婦人達をも新東京の建設に冷淡では置かないに相違ありません。この大事業は当局のみに、又は男性のみに一任すべきではなく、女性も亦《また》女性としての立場からその力を持ち出すことによってこの光栄ある仕事を成就させたいと思います。罹災者の救護やその孤児の養育などに各種の婦人団体が蹶起《けっき》（＊3）されたことはよろこばしいことであり、又当然この際になさねばならぬことでありますが、今後は更に新都市の計画に向っても各団体が一致団結して、この問題に対する婦人の理想、意見の提示、その実現のための運動を開始されんことを望みます。婦人市政研究会（＊4）とかいう会があったように記憶しますがこの際健在を祈ります。なお序《つい》でながらキリスト教協同救護団（＊5）が既に大東京都市計画に遊廓地（＊6）を設置しないこと、花柳街（＊7）を裏通りに設ける

獲得同盟と改称）が成立した。

＊4　**婦人市政研究会**
河口アイ、十文字琴子らが一九二三（大正一二）年に創設した会。

＊5　**キリスト教協同救護団**
震災直後に賀川豊彦らによって組織された「基督教震災救護団」のこと。東京ＹＭＣＡや日本キリスト教婦人矯風会もこの団体に加入していた。

＊6　**遊廓地**
公認された娼妓を置く遊女屋の集まった地域。東京では吉原（現・台東区）、洲崎（現・江東区）が有名。吉原は震災で焼失。また、浅草十二階の周辺は「銘酒屋」という非公認の私娼窟として有名であったが、震災のため壊滅した。

＊7　**花柳街**
料理屋・待合（遊興のための席を貸す茶屋）・芸者屋の三業がともに営業することを許可された一定の地域。花街《かがい》。

ことを当局に請願し、賛成の回答を得たように聞きましたが、我が東京市がこれを断行するのは今日ほどの好機は又とないのは言うまでもないことですから、これなども是非とも婦人の力で実行してほしいものです。それにしても多年公娼廃止運動(＊8)を継続して来られた矯風会《きょうふうかい》(＊9)の如《ごと》きはこの際、特に、速かに遊廓再興の禁止、残存娼妓《しょうぎ》の解放のために立たねばなりますまい。

○

何はともあれ、今度の大震災が、色々の意味で、大小の相違こそあれ、多くの人達の心の中《うち》に革命をもって来たことは確かでした。行詰った生活、その生活の倦怠から救い出された人達は、大不幸、大艱難の中にありながらも、どこか心機一転のすがすがしさを感じ、曽て見なかった緊張感と人間味とを示して居ます。勇気と忍耐と努力の何時かの後、私共は不幸が後に輝かしい幸福の原因であることを知ってよろこぶ時が来ることでありましょう。

私は今徒《いたず》らに犠牲の多かった事を歎《なげ》きますまい。（一二・九・二五）

＊8　公娼廃止運動
女性の人権擁護の立場からの、公娼制度廃止、公娼の救済・更生を目ざす社会運動。

＊9　矯風会
日本キリスト教婦人矯風会。矢島楫《かじ》子《こ》らによって作られた、一夫一婦制や禁酒運動を推進した女性団体。一八八六年（明治一九）年に設立された東京婦人矯風会が発展し、九三年に全国組織となった。

眠《ねむり》から覚めよ〔詩一篇〕

「改造」第五巻第一〇号、大正一二年一〇月（改造社）

秋田雨雀

市民よ！
お前は何を血迷つてゐるのだ？
ゝゝゝゝゝゝゝゝゝゝゝゝゝゝゝゝゝゝゝゝゝ？
ゝゝゝゝゝゝゝゝ！
ゝゝゝゝゝゝゝ！
お前の敵はお前の迷信を利用してゐるのだ。
お前の追つてゐるものはお前自身の憐《あは》れな影にすぎないのだ。
お前のやつたすべてのことはお前の身に帰つて来るのを知らないのか？
お前の敵はお前の迷信の中に巣くつてゐるのを知らないのか？

秋田《あきた》雨雀《うじやく》（一八八三 明治一六―一九六二 昭和三七）詩人、劇作家、小説家。青森県南津軽郡黒石町（現・黒石市）生まれ。本名徳三。東京専門学校（後の早稲田大学）英文科に学ぶ。詩人として出発し、小説、劇作へと進む。一九一四（大正三）年、沢田正二郎らと美術劇場を結成。一五年、来日したロシアのワシリー・エロシェンコに会い、これをきっかけにエスペラント（ザメンホフが創案した人工の国際語）を学ぶ。震災の前後は青森県、秋田県にいた。震災後、国民思想の虚偽や政治反動に抗議する詩や戯曲を発表。

市民よ！
征服と屈従と野蛮と無反省とを美徳として教へたものは誰だ？
市民よ！
お前の敵は果して誰だかよく見よ！
お前は何を血迷つてゐるのだ？
ヽヽヽヽヽヽヽヽヽヽヽヽヽヽヽヽヽヽヽヽ。
ヽヽヽヽヽヽヽヽ
ヽヽヽヽヽヽヽ

市民よ！
聴け、あの悲壮な挽歌《ばんか》(＊1)を！
お前の都は地に落ちて行く。
すてよ、その槍と剣を！(＊2)
そして両手を胸の上に組んで静かにあの挽歌を聴け！
市民よ！
お前の都は余りに早く滅んだ、

＊1　**挽歌**
葬儀の柩《ひつぎ》を載せた車をひく者のうたう歌。哀悼の意を表す歌。

＊2　**すてよ、その槍と剣を！**
自警団等による暴力行為への批判の言葉。『旧約聖書』「イザヤ書」二章に、「その剣《つるぎ》をうちかえて鋤《すき》となしその鎗《やり》をうちかえて鎌となし」（文語訳）とある。

余りに多い犠牲だ………

だが………
市民よ！
お前達は余りに幸福すぎた。
お前達は人類の苦痛を知らなかつた。
お前達は人間の生活を考へなかつた。
お前達はなるだけ多くを取らうとした。
利己主義……　それがお前達の唯一の哲学であつた。
社会奉仕といふことは、実にこの哲学の仮面にすぎなかつた。
市民よ！
この痛しい損失によつて、人間の生活とその欲望の尊きことを知れ。
仮面道徳をすてよ
妥協生活を恥ぢよ
新しい人類の生活に入るために、その古い槍と剣とをすてよ！
そして両手を胸の上に組んで
静かにあの挽歌を聴け！

（一九二三、九、一四）

◉解説　関東大震災から生まれた復興と防災

関東大震災で東京・横浜を中心に激甚な被害を受けたが、内務大臣兼帝都復興院総裁の後藤新平が、大規模な区画整理と公園・幹線道路の整備を伴う復興計画を立案した。しかし、巨額予算であり、利害関係もからんで大反対にあい、規模を大幅に縮小せざるをえなかった。それでも迅速に復興は進められ、七年後の一九三〇（昭和五）年に復興完了を宣言している。

文豪とは違う立場で震災と向き合った人物に、地震学者の今村明恒《あきつね》がいる。今村は、それまでの歴史を考えると、今後五〇年以内に東京で大地震が起こるだろうと警告し、東京帝国大学で上司の大森房吉《ふさきち》と対立していたが、実際に関東大震災が発生して、時の人となった。大森はオーストラリアで開催されていた汎太平洋学術会議に出席しているときに日本で地震が起こったことを知って帰国したが、まもなく亡くなった。今村は調査日記を書いて克明な記録を残し、その後の防災を説いた。

今村とともに震災の調査と防災に尽力したのは、物理学者・随筆家の寺田寅彦だった。寺田は吉村冬彦のペンネームで随筆を発表したが、その一編に「石油ラムプ」がある。東京の郊外で暮らすために石油ランプを探したが、すでに使わなくなっていたためなかなか見つからなかった。その体験を通して、災害によってガス・水道・電気といったインフラが停止したらどうなるのだろうと懸念し、文明の力に依存しすぎている生活に警鐘を鳴らした。寺田は理系と文系の両方の学問を身に付け、柔軟な考えで現象に潜む本質を見抜いていたので、現代から見ても防災を考える上で意義深い指摘が多い。

また、小説家の永井荷風は、六本木に建てた洋館・偏奇館で被災した。荷風は前後の様子を日記『断腸亭日乗』に詳しく書いていたが、公開されたのは戦後になってからだった。本書の「断腸亭日乗」は、九月一日から四日までの記述を抜粋した。荷風が夜警に出た様子は、第三章に入れた小山内薫の「道聴途説」にも見えた。

多くの雑誌が文豪の文章を載せる特集を組んだにもかかわらず、荷風は日記を公開せず、震災の体験記を発表することも抑制したようである。わずかに、雑誌「女性」が行った「帝都復興に関する民間からの要求」というアンケートに、「快活なる運河の都とせよ」を候文体で回答した。この提言には、かつての江戸は運河の都であったことを指摘し、それを復興の原点にするべきだという考えがある。しかし、その後の復興を見ると、荷風の提言を裏切るように、東京の運河は埋められ、次第に江戸の面影を失っていった。この提言の重要性に気づいたのは、持続可能な開発が意識されるようになった近年のことだと言っていい。

やはり、雑誌「女性」のアンケートに回答したのが、女性運動家の平塚明（らいてう）の「都市経営に繋る女性の分け前」だった。震災によって莫大な生命と巨額な財産が失われたが、平等な社会が実現し、欲望が価値のないものだとわかったとした。そして、都市経営に積極的に参加する市民としての女性の立場を認識し、遊廓再興の禁止や残存娼妓の解放を実行してほしいと訴えた。三宅やす子や中條（宮本）百合子らを巻き込んで、震災は次第に進んでいた女性運動を活発化させたところがある。

劇作家・小説家の秋田雨雀は、地震が起こったことは秋田県で知り、青森県に戻って、その後東京に来て家族と再会していることが日記から知られるが、この日記もすぐには公開されなかった。大杉栄が虐殺されたのは九月一六日のことだったが、それが新聞に載って知ったのは九月二六日であり、そのとき、「大震に比較すべきほどの大事件だ！　国民の無智は怖るべきことだ！」と書き残した。「眠から覚めよ〈詩一篇〉」という詩は、それと呼応するように書かれたもので、国民思想の虚偽に対して抗議する内容になっている。

あとがき

東日本大震災の後、落ち着きを取り戻すとともに、東京では次第に関心が薄らぎはじめていた。そこで、他人事《ひとごと》にしないためには、自らの足元を掘る必要があると考えた。東京は、言うまでもなく関東大震災にあっていて、膨大な資料が残っている。それらの中でも、私自身の専門から、文豪たちが書き残した文章に着目した。そこで、それらを集めて読み、実際にその場所を訪ねて、『文豪たちの関東大震災体験記』（小学館、二〇一三年）をまとめた。それがちょうど関東大震災から九〇年だった。

その中では、芥川龍之介や泉鏡花・志賀直哉・谷崎潤一郎をはじめとする名だたる作家を取り上げた。与謝野晶子だけでなく、野上弥生子や原阿佐緒《あさお》・宮本百合子といった女性作家の文章も扱った。女性運動の台頭もあって、女性が活躍する時代を迎えていたことを実感した。現代のように画一化が進む状況から見ると、総勢三八人の文章は実に多彩で、誰一人として類似するものはなかった。文壇は健康的だと感じた。

だが、文豪たちは雑誌に発表の場所が与えられ、特権的な存在であることは疑う余地がなかった。そこで、他にも残された文章がないかと調べてゆく中で、東京市役所著『東京市立学校児童震災記念文集』全七巻（培風館、一九二四年）と第一高等学校国漢文科編『大震の日』（六合館、一九二四年）が見つかった。それらは、学校教育の中で行われた小学生と高校生（ともに旧制）の作文だった。これらを部分的に復刻し、講演を行って、『震災を語り継ぐ』（三弥井書店、二〇二三年）をまとめた。

思えば、文豪たちが書いた文章のアンソロジーを編むことは、『文豪たちの関東大震災体験記』を書いたときに構想し、資料も用意していた。しかし、東京オリンピック・パラリンピックの延期や、新型コロナウイルス感染症の感染拡大の影響もあって、実現することはなかった。それが百年を迎える時期に、こうして実現する運びになったのはうれしいことである。改めて調べ直すと、当時は意識しなかった作家や作品が見つかった。その一人に、小説家の永井荷風がいる。

荷風は日記『断腸亭日乗』を書き、震災前後の様子も詳しいが、これは戦後まで発表しなかった。そのことはすでに書いていたが、詩集『偏奇館吟草』には気づかなかった。これは『来訪者』（筑摩書房、一九四六年）に初めて収録され、その中に「震災」の一編がある。この詩は、歌舞伎役者の九代目市川団十郎・五代目尾上菊五郎から詩人・評論家の上田敏と小説家の森鷗外まで一〇名が亡くなり、その上、関東大震災が起こった結果、

江戸文化の名残烟《けむり》となりぬ。
明治の文化また灰となりぬ。

と詠んでいる。荷風は自身をそうした系列の中に位置づけ、優れた文化人の逝去と関東大震災の発生によって、江戸と明治の文化が消滅したというのである。この認識はすでに定着する考え方だが、それを最初にはっきり述べたのはこの詩だろう。その点でも極めて重要である。

文豪たちは災害の教訓を直接述べるようなことはしない。そういう意味では、教育を受けた小学生の方

が復興や防災を単純かつ明確に述べている。だが、文豪たちが書いた文章は震災を歴史や社会の中で深く認識し、未来を展望する。それは「すぐに役立つ」ようなものではないが、「一度読んだら忘れがたい」という印象を残すにちがいない。そうした印象こそ重要な防災教育になると確信する。

本書が生まれるにあたり、竹石健さんと岡﨑智恵子さんには、編集・出版でご尽力を賜った。高校生の教育に携わる中村勝さん、水野雄太さん、安松拓真さん、手塚翔斗さん、沖山槙之介さんには、脚注の執筆で力添えをいただいた。ともに深く感謝するとともに、この一冊を読んでくださる方々が関東大震災を認識し、自身の問題と考えてくださるなら、これ以上うれしいことはない。

石井正己

参考文献

本書を執筆するにあたって参考にした文献を挙げる。それとともに、それらはさらに読書を広げたいと思う場合の案内でもある。脚注を執筆する際に多くの辞典や事典を参照したが、それらは挙げなかった。

編著書

・阿川弘之〔ほか〕編『志賀直哉全集 第二三巻』岩波書店、二〇〇一年
・悪麗之介編・解説『天変動く　大震災と作家たち』インパクト出版会、二〇一一年
・石井正己著『文豪たちの関東大震災体験記』小学館、二〇一三年
・石井正己著『震災を語り継ぐ』小学館、二〇二三年
・泉鏡花記念館編『鏡花』泉鏡花記念館・財団法人金沢文化振興財団、二〇〇九年
・伊藤和明著『日本の地震災害』岩波書店、二〇〇五年
・稲垣達郎〔ほか〕編『荷風全集　第25巻　断腸亭日乗5』岩波書店、一九九四年
・入江春行編集・評伝『新潮日本文学アルバム24　与謝野晶子』新潮社、一九八五年
・岩野裕一著『王道楽土の交響曲』音楽之友社、一九九九年
・内田宗治著『関東大震災と鉄道』新潮社、二〇一二年
・小山内薫〔ほか〕著『現代日本文学全集36　小山内薫・木下杢太郎・吉井勇集』筑摩書房、一九六一年
・小沢健志編『写真で見る関東大震災』筑摩書房、二〇〇三年
・笠原伸夫編集・評伝『新潮日本文学アルバム7　谷崎潤一郎』新潮社、一九八五年
・加藤文三著『日本近現代史の発展（上）』新日本出版社、一九九四年
・神奈川県警察部編『大正大震火災誌』神奈川県警察部、一九二六年
・神奈川県立歴史博物館編『80年目の記憶』神奈川県立歴史博物館、二〇〇三年
・鎌倉国宝館編『特別展　鎌倉震災史』鎌倉国宝館、二〇一五年
・姜徳相〔ほか〕解説『現代史資料6　関東大震災と朝鮮人』みすず書房、一九六三年
・姜徳相著『関東大震災』中央公論社、一九七五年
・姜徳相著『関東大震災・虐殺の記憶』青丘文化社、二〇〇三年
・木口直子編『芥川龍之介　家族のことば』春陽堂書店、二〇一九年
・北原糸子編『写真集　関東大震災』吉川弘文館、二〇一〇年
・北原糸子著『関東大震災の社会史』朝日新聞出版、二〇一一年
・北原糸子著『震災と死者』筑摩書房、二〇二一年
・清川来吉編『鎌倉震災誌』鎌倉町、一九三〇年
・琴秉洞編・解説『朝鮮人虐殺に関する知識人の反応2』緑蔭書房、一九九六年
・KS懇話会編『洋食器物語』叢文社、一九七五年
・警視庁編『大正大震火災誌』警視庁、一九二五年
・紅野敏郎編『新潮日本文学アルバム11　志賀直哉』新潮社、一九九一年
・紅野敏郎・日高昭二編『「改造」直筆原稿の研究』雄松堂出版、二〇〇七年
・後藤新平研究会編『震災復興　後藤新平の１２０日』藤原書店、二

○一一年
・小谷野敦著『久米正雄伝 微苦笑の人』中央公論新社、二〇一一年
・近藤士郎編『震災より得たる教訓』国民教育会、一九二四年
・近藤富枝著『田端文士村』中央公論新社、二〇〇三年
・今野真二著『北原白秋 言葉の魔術師』岩波書店、二〇一七年
・佐伯順子著『泉鏡花』筑摩書房、二〇〇〇年
・佐藤健二著『浅草公園 凌雲閣十二階』弘文堂、二〇一六年
・清水幾太郎著『流言蜚語』筑摩書房、二〇一一年
・志村隆編『現代日本文学アルバム 第5巻 谷崎潤一郎』学習研究社、二〇〇四年新装版
・鈴木淳著『関東大震災』講談社、二〇一六年
・墨田区役所編『墨田区史』墨田区役所、一九五九年
・第一高等学校国漢文科編『大震の日』六合館、一九二四年
・台東区史編纂専門委員会編『ビジュアル台東区史』東京都台東区、一九九七年
・台東区史編纂専門委員会編『台東区史 通史編2・通史編3』東京都台東区、二〇〇〇年
・太平洋戦争研究会編『図説 関東大震災』河出書房新社、二〇〇三年
・竹久みなみ監修『竹久夢二「東京災難画信」』港屋、二〇一五年
・高木栄吉・清宮秀之助編『東京勧業博覧会実記』重宝新聞社、一九〇七年
・武村雅之編著『天災日記』鹿島出版会、二〇〇八年
・武村雅之著『関東大震災を歩く』吉川弘文館、二〇一二年
・千葉俊二〔ほか〕編『地震雑感／津浪と人間 寺田寅彦随筆選集』中央公論新社、二〇一一年
・千葉俊二〔ほか〕編『日本近代随筆選2 大地の声』岩波書店、二〇一六年
・千葉俊二〔ほか〕編『谷崎潤一郎全集 第12巻』中央公論新社、二〇一七年
・鉄道省編『国有鉄道震災誌』鉄道省、一九二七年
・東京朝日新聞社編『関東大震災記』東京朝日新聞社、一九二三年
・東京市公園課編『東京の史蹟』厚生閣、一九二五年
・東京市役所著『東京市立小学校児童震災記念文集』全七巻、培風館、一九二四年
・東京都編『都史資料集成 第6巻 別冊付録』東京都、二〇〇五年
・中島国彦編集・評伝『新潮日本文学アルバム23 永井荷風』新潮社、一九八五年
・野口武彦編集・評伝『新潮日本文学アルバム22 泉鏡花』新潮社、一九八五年
・野田宇太郎編集撮影『日本文学アルバム8 北原白秋』筑摩書房、一九六八年
・平子恭子編著『年表作家読本 与謝野晶子』河出書房新社、一九九五年
・広津和郎著『年月のあしおと（上）（下）』講談社、一九九八年
・細馬宏通著『浅草十二階 塔の眺めと〈近代〉のまなざし』青土社、二〇一一年
・松尾章一著『関東大震災と戒厳令』吉川弘文館、二〇〇三年
・松本哉著『荷風極楽』朝日新聞社、二〇〇一年
・港区総務部総務課編『港区史 通史編 近代下』港区、二〇二一年
・宮武外骨著『震災画報』筑摩書房、二〇一三年
・村松定孝〔ほか〕著『特集・泉鏡花 幻想の王国』平凡社、一九八八年

・山本太郎編集・評伝『新潮日本文学アルバム25　北原白秋』新潮社、一九八六年
・山本美編『大正大震火災誌』改造社、一九二四年
・ユネスコ東アジア文化研究センター編『資料　御雇外国人』小学館、一九七五年
・吉田初三郎製図、妹尾春太郎著『箱根名所図絵』箱根印刷、一九二二年
・吉村昭著『関東大震災』文藝春秋、一九七三年
・黎明社編輯部編『震災画譜　画家の眼』黎明社、一九二三年
・渡辺澄子著『野上弥生子研究』八木書店、一九六九年
・『旧新約聖書（文語訳）』日本聖書協会、一八八七年、一九一七年

論文

・田中正敬「関東大震災における鉄道の被害と復旧――国有鉄道の『震災日誌』を手がかりとして」『専修大学人文科学研究所月報』第二九八号、二〇一九年
・沼田清「［資料］関東大震災写真の改ざんや捏造の事例」『歴史地震』第三四号、二〇一九年
・平野晶子「女性雑誌という舞台――芥川龍之介『白』と『女性改造』」『学苑』第八六三号、二〇一二年

ホームページ

・気象庁ＨＰ「震度データベース検索」https://www.data.jma.go.jp/eqdb/data/shindo/index.html

協力者一覧（順不同）

【資料提供】
荻原朝彦
奥村直史
山内英正
公益社団法人神奈川文学振興会
港屋

【写真提供】
公益社団法人全国市有物件災害共済会防災専門図書館
東京都復興記念館
横浜市中央図書館
神奈川県立歴史博物館
青森県近代文学館（秋田雨雀）
高知県立文学館（寺田寅彦）
国立国会図書館「近代日本人の肖像」(https://www.ndl.go.jp/portrait/)
（宇野浩二、野上弥生子、芥川龍之介、室生犀星、与謝野晶子、泉鏡花、山本有三、広津和郎、久米正雄、北原白秋、谷崎潤一郎、中條百合子、志賀直哉、小山内薫、里見弴、菊池寛、佐藤春夫、釈迢空、竹久夢二、田山花袋、井伏鱒二、夢野久作、宮武外骨、永井荷風、平塚らいてう）
週刊防災格言（防災意識を育てるＷＥＢマガジン「思則有備《しそくゆうび》」）（荻原井泉水、内田魯庵）
木村荘太肖像は『農に生きる』（暁書院、一九三二年）より転載

【編著者】
石井 正己（いしい・まさみ）
1958年東京生まれ。国文学者・民俗学者。東京学芸大学名誉教授、柳田國男・松岡家記念館顧問、韓国比較民俗学会顧問など。著書に『文豪たちの関東大震災体験記』（小学館＋α新書）、『100分de名著ブックス 柳田国男 遠野物語』（NHK出版）、『菅江真澄と内田武志』（勉誠出版）、『感染症文学論序説』（河出書房新社）、『震災を語り継ぐ』（三弥井書店）などがある。

【執筆協力】
中村 勝（なかむら・まさる） 立教新座中学校・高等学校教諭（第五章・脚注）
水野 雄太（みずの・ゆうた） 城北中学校・高等学校教諭（第三章・脚注）
安松 拓真（やすまつ・たくま） 東京都立両国高等学校教諭（第一章・脚注）
手塚 翔斗（てづか・しょうと） 福島県立会津学鳳高等学校教諭（第二章・脚注）
沖山 槙之介（おきやま・しんのすけ） 東京都立上野高等学校教諭（第四章・脚注）

【編集協力】
竹石 健（未来工房）
岡﨑 智恵子

関東大震災百年——文豪たちの「九月一日」

2023年7月20日 初版第1刷発行

編著者 石井 正己
発行人 野村 久一郎
発行所 株式会社 清水書院
〒102-0072
東京都千代田区飯田橋3-11-6 清水書院サービス第2ビル
電話 03-5213-7151
印 刷 株式会社 三秀舎

©Masami Ishii 2023 Printed in Japan
定価はカバーに表示しています
ISBN 978-4-389-50151-8

●落丁・乱丁本はお取り替えいたします。
本書の無断複写は著作権法上での例外を除き禁じられています。複写される場合は、そのつど事前に、(社）出版社著作権管理機構（電話03-5244-5088、FAX03-5244-5089、e-mail：info@jcopy.or.jp）の許諾を得てください。